歪笑小説

東野圭吾

集英社文庫

歪笑小説――目次

歪笑小説

伝説の男

1

書籍出版部に配属と決まった時、青山《あおやま》は心の底から嬉《うれ》しかった。大好きなミステリの本を作ることが、子供の頃からの夢だったからだ。小説家になりたいと思ったことは一度もない。面白いミステリ小説を見つけだすのが好きで、それを人に奨《すす》めて、その感想を話し合ったりするのが何よりも楽しく感じられるのだ。

その憧《あこが》れの職場に出勤した初日、青山がきょろきょろしていると、「何か用？」といって痩せた男性が近づいてきた。

青山は自己紹介し、事情を話した。男性は得心のいった顔で頷《うなず》いた。

「君が青山君か。聞いてるよ。俺が面倒をみることになっている。よろしくな」

男性は小堺《こさかい》といった。気さくそうな人物だったので青山はほっとした。よろしくお願いします、と深々と頭を下げた。

「じゃあ、一緒に編集長のところへ行こう」

「あ、はい」少し緊張した。「編集長って、獅子取《ししどり》さんですよね。あの有名な」

小堺は足を止め、振り返った。その目が光ったように感じた。

「そうだ。伝説の編集者といわれる人物だ」

「噂《うわさ》では、すごいベストセラーを何冊も作ったとか」

小堺は首を振った。「何冊も、じゃない。何百冊も、だ」

青山は言葉を失った。一体どんな人なのだろう。会うのが怖くなった。

「大丈夫。作家以外の人間に対しては、ごくふつうの人だから」小堺はにっこり笑っていった。

案内された場所は喫煙所だった。短髪で眼鏡《めがね》をかけた男性が一人で煙草《たばこ》を吸っていた。体格がよく、スーツが少し窮屈そうに見える。

「獅子取さん、今日からうちに来てくれることになった青山君です」

小堺の紹介を受け、よろしくお願いします、と挨拶した。

獅子取は太い指に煙草を挟んだまま、青山の顔、というより全身を眺めた。「学生時代、何かスポーツはやってた？」

「スポーツですか。中学時代にバレーボールを少し……。すぐにやめちゃいましたけど」

「バレーボールかあ」獅子取は残念そうな顔になった。「球技が得意なの？　じゃあ、ゴルフはどう？」

「えっ、ゴルフ？」

「そう、こっちのほう」獅子取は煙草をくわえ、クラブを振る格好をした。

いやあ、と青山は頭を搔《か》いた。「やったことないです」

「そうか。じゃあ、今日から特訓だな」

「えっ？」

「安い練習場があるんだ。小堺、連れてってやってくれ。いつものレッスンプロには俺から連絡しとくから。ああそれから青山君、なるべく早いうちにゴルフウェアとシューズを買っといて。ゴルフクラブは俺のをあげるよ。使い古しだけどさ」

「いや、あの、ちょっと待ってください。どうして僕がゴルフをするんですか」

すると獅子取は質問の意味がわからぬかのように、ぱちぱちぱちと瞬《まばた》きした。

「どうしてって、だって君、今日からうちの所属でしょ」

「はい。書籍出版部にやってきました」

だったら、と獅子取はいった。「ゴルフをしなきゃ」

「はあ？」

「小堺、平泉《ひらいずみ》先生の件、青山君に説明しといて」そういうと獅子取は携帯電話を取り出した。着信があったらしい。「はい、獅子取でございます。ああ先生、いつもお世話になっております。ちょうど今、先生のお声を聞きたいなと思っていたところなんです。……嘘《うそ》じゃありません。本当です。先生の今回の作品、読ませていただきました。私、感動のあまり、しばらく呆然《ぼうぜん》としておりました。……何をおっしゃいます。私はお世辞なんかをいえる人間じゃございません。本当に、ほんとうに、心を揺り動かされました。……えっ？　銀座《ぎんざ》で一杯？　結構ですねえ。いつでもお供させていただきます」大声で話しながら獅子取は去っていった。

青山が呆然としていると、小堺が懐から一枚の紙を出してきた。「はい、これ」

「何ですか」

「読めばわかるよ」

青山は紙を受け取り、広げた。そして、ぎょっとした。そこには次のように書かれていた。

『第二十一回　平泉宗之助《そうのすけ》先生とゴルフを楽しむ会のお知らせ』――。

平泉宗之助という文字に、青山は思わず萎縮した。大衆文学の大御所だ。

「参加者に獅子取さんや俺の名前があるだろ」

「あっ、そうですね。小堺さんも参加するんですね。がんばってきてください」

小堺は顔をしかめた。

「それがさあ、俺、今、腰を傷めてるんだ。だから代わりに頼むよ」

「えっ、僕がですか」

「今週の金曜日だから、ひとつよろしく」

「えーっ」

2

金曜日の夜、青山はぼろぼろになった状態で、一旦《いったん》会社に戻った。重たいキャディバッグを抱えて編集部に行くと、小堺はパソコンの前で携帯電話をいじっていた。

「おう、御苦労、御苦労。どうだった？」

青山は崩れるように椅子に座り込んだ。

「どうもこうもありません。人生でこんなにくたびれたのは初めてです。ボールは当たらないし、当たっても前に飛ばないし、ひどい目に遭いました。もう嫌です」

「何をいってるんだ。ゴルフだって、編集者の仕事だぞ。いや、ある意味一番大事な仕事といっていい。ところで編集長は？」

「獅子取さんなら、平泉先生たちと一緒に銀座へ行かれました」

「そうか。君と編集長は平泉先生と同じ組で回ったんだろ。先生の機嫌はどうだった」

「すっごく上機嫌でしたよ。朝のうちはそうでもなかったんですけど、帰る頃にはかなりテンションが上がっている御様子でした。スコアはそんなに良くなかったんですけど」

「先生のスコアは？」

「えーと、101だったかな」

「編集長は？」

「たしか102です。先生に一打負けたって、大声で悔しがってましたから」

小堺は指をぱちんと鳴らし、「それだよ」といって青山を指した。

「何ですか」

「いいか。じつは獅子取さんのゴルフの腕前はプロ級なんだ。どんなに調子が悪くても、100をオーバーすることなどあり得ない」

「えっ、じゃあ、今日はわざとスコアを落としたってことですか」

小堺は深く頷いた。

「当然だ。単にゴルフが上手《うま》いだけでは、作家に気に入ってもらえない。むしろ、あまり良いスコアを出しすぎると、却《かえ》って嫌われるおそれがある。しかし、だからといって悪すぎても面白がられない。作家を良い気分にしつつ、適度に対抗心を抱かせる——そのぐらいのプレイが必要なんだ。無論、作家によって技量が違うから、それに合わせて自分のスコアを調整する必要がある。そのあたりの匙《さじ》加減が難しいんだが、編集長は、そこのところが絶妙なんだ。今日の君は自分のことだけで精一杯で気づかなかったかもしれないが、作家がナイスショットをすれば、それには少し及ばない程度のショットをし、作家がミスをすれば、それを少し上回るようなミスをする。それが獅子取さんの接待ゴルフなんだ」

そういえば、と青山は思い出した。作家の平泉がOBを連発したホールでは、獅子取も同じようにOBを打っていた。

「その程度のことは、獅子取さんにとっては朝飯前だ」青山の話を聞き、小堺は腕組みをしながらいった。「いつだったか、作家がバンカーに捕まって苦しんでたことがあった。それを見た獅子取さんは、どうしたと思う？　すでにグリーンに載っていた自分のボールを、思いきりミスパットしてバンカーに落としたんだ」

「へええ」青山は頭を振った。感心するしかなかった。

「獅子取さんによれば、編集者に必要なのは三つのGだそうだ」

「三つのG？」

「ゴルフ、銀座、ゴマすり」小堺は指を折りながらいった。「その三つがあれば、ほかは何もいらないってさ」

「えっ、でも、小説を読む力は必要でしょ？　それがないと、良い作品を見つけられないじゃないですか」

小堺は、わかってないなあ、と苦笑した。

「良い作品って、どういう作品だと思うわけ？」

「そりゃあ、読んで感動できる作品だと思います」

「なるほどね。じゃあ、読んで感動できるなら、売れなくてもいいわけ？」

「えっ？」

「読めば感動できるけど売れない本と、中身はスカスカだけど売れる本。どっちが我々出版社にとってありがたいかは、いうまでもないだろ。俺たちは売れる本を作らなきゃいけないんだ。じゃあ、どんな本が売れるか。内容が素晴らしいから売れるってことはある。でも計算はできない。計算できるのは、売れる作家の本だ。ベストセラー作家といわれる人たちの本を出せば、まず間違いなくある程度の数字は見込める」

「そんなの当たり前じゃないですか」

「そうさ。だからみんな売れっ子作家の原稿をほしがる。でも作家の能力にだって限界があるから、全員にまんべんなく作品を渡すなんて無理だ。どうしたって、気に入った編集者を優先することになる。それが人情ってものだ。わかるだろ？」

「それはまあ、わかります」

つまり、と小堺は人差し指を立てた。「売れる作家から気に入られる編集者が、出版社にとって役に立つ編集者ということにならないか」

「それは……」少し考えてから青山は首を捻《ひね》った。「そうかもしれませんけど」

「そうかもしれないじゃなくて、そうなんだよ。そうやって獅子取さんは難攻不落といわれる作家からも原稿を取り、今の地位を築いた。伝説の編集者と呼ばれるようにまでなったんだ」

「じゃあ、この土日は原稿を読むのはやめて、ゴルフの練習でもしようかな」

冗談でいったつもりだったが、小堺は大真面目《おおまじめ》な顔で頷いた。

「それでいいんだよ。しっかりと練習して、次の接待ゴルフに備えておけ。来週の水曜日は夏井《なつい》先生と、金曜日は玉沢《たまさわ》先生とだからな」

「えー、そんなにゴルフばっかり……」

「いや、それだけじゃない」小堺は机の引き出しからA４の紙を出してきた。「軽田《かるた》先生からもお誘いが来ている。参加者に君の名前を書いておいた。再来週の土曜日だ。ハーフだから、そんなに大変じゃないだろう」

「ハーフ？　九ホールしか回らないんですか。珍しいですね」

小堺は、きょとんとした顔をした。「何の話をしている？」

「だって接待ゴルフでしょ」

小堺は、かぶりを振った。

「軽田先生はゴルフをしないよ。そうじゃなくてマラソンだ。ハーフマラソンのことだ」

「えーっ」思わずのけぞった。「それに参加って、もしかして走るんですか。僕が」

「当然だ。作家によっては、趣味がゴルフじゃなくてマラソンやテニスだったりする。ああ、そうだ。ミステリ作家の西口《にしぐち》先生の趣味はスケボーだから、しっかり練習しておけよ」

「す、す、スケボー？」

「ちんたら遊ぶだけじゃなく、ハーフパイプで一回転二回転しなきゃいけないそうだから、覚悟しといたほうがいい。保険にも入っといたほうがいいだろうな。獅子取さんは頭から落ちて、五針縫った。でもおかげで書き下ろしの原稿を貰《もら》えたんだ」

青山は言葉が出なかった。どうしてそこまでやらなきゃいけないのか。すると彼の心を察したように小堺は意味深な笑みを浮かべた。

「情けない顔をするな。作家の趣味に付き合うなんて、まだまだ序の口だ。獅子取さんを見てれば、そのうちわかるよ」

3

時計を見て、そろそろだな、と思った。目当ての列車が到着する時刻が迫っている。

青山たちは東京駅のホームにいた。新幹線が止まるホームだ。東北新幹線で、ある作家が上京することになっている。その出迎えにやってきたというわけだ。

その作家とは花房百合恵《はなぶさゆりえ》で、日本を代表する女流ミステリ作家だ。ベストセラーになった作品がいくつもあり、今でも根強い人気を保っている。文芸書が売れない昨今、出版社にとって大切な作家の一人だった。

花房百合恵は仙台《せんだい》在住でめったに東京へは出てこないが、今夜都内で行われる某文学賞のパーティに出席するため、上京することになったのだ。

待ち受けているのは、花房百合恵の各社担当者たちとその上司だった。灸英社《きゆうえいしや》からは青山と小堺、そして獅子取が来ている。各社合わせて総勢二十名といったところか。全員が黒っぽいスーツ姿だが、一般の会社員とは明らかに違った雰囲気を漂わせているので、ほかの客が近寄ってこない。

来たぞ、と誰かがいった。新幹線の特徴的な車両が近づいてくるのが見えた。

花房百合恵が乗っている車両はわかっている。編集者たちは一斉に乗降口周辺に集まった。

「おい、何をぼやぼやしている。もっと前に出ろ」小堺が後ろから青山を叱《しか》った。

「えっ、どういうことですか」

「後ろのほうにいたんじゃ、出迎えに来てたってことが先生の記憶に残らないおそれがあるだろ。とにかく顔を見てもらうことが大事なんだ」

「ああ、なるほど」青山は前方を見た。「それで獅子取さんは、最前列に陣取っているんですね」

「編集長があの場所にいるのは、単に顔を見てもらうためだけじゃない。あれはカバン争奪戦に勝つためだ」

「カバン争奪戦？」

「列車の扉が開くと同時に乗り込んで、花房先生の席まで行き、先生の荷物を持つんだ。その勝負に勝った出版社は、まず間違いなく次の連載をゲットできる」

「えー、でもそんなことをしたら、降りようとするほかのお客さんに迷惑じゃないですい放った。

「いいんだよ、そんなことは。ほかの客はベストセラー作家じゃないか」

小堺は冷たくい放った。

列車がホームに入ってきた。ゆっくりと止まり、車両の扉が開いた。

何人かの編集者が競うように中へなだれ込んでいくのが見えた。降りようとしていたおばあさんが、突き飛ばされて転びかけているが、誰も助けようとしない。

乗り込まなかった編集者たちは、扇形に広がって花房百合恵を待ち受けた。降りてくる客たちは、青山たちを見てぎょっとしている。

やがてピンクの帽子に薄い色のサングラス、そしてピンクのスーツという出《い》で立《た》ちの花房百合恵が現れた。

「先生、お疲れさまでしたっ」誰かが挨拶した。それを合図に、お疲れさまでした、の声が口々に上がる。

だが花房百合恵は、にこりともしなかった。それどころか、編集者を見渡すと、「どういうことよっ」と怒鳴ったのだ。

何が何だかわからず、全員が黙り込んだ。するとその直後、突然黒い影が、青山たちと花房百合恵の間に滑り込んできた。

「申し訳ございませんっ」そういって女流作家の前で土下座をしているのは、ほかならぬ獅子取だった。脇にピンクのバッグを抱えている。どうやらカバン争奪戦に勝利したらしい。

「本当に申し訳ございませんっ」獅子取は繰り返した。「何があったかは存じませんが、すべてこの獅子取の責任でございます」

小堺が青山の耳元で、出た、と囁《ささや》いた。「あれが獅子取さんの秘技、スライディング土下座だ」

「す……スライディング？」

「作家が機嫌を悪くした時、誰よりも先に土下座するという技だ。何が原因で怒っているのかは二の次だ。とにかく謝る。ひたすら謝る。そうすれば道が拓《ひら》けてくる、というのが獅子取さんの考えなんだ」

「へええ」

獅子取は、額を地面に擦《こす》りつけんばかりに謝っている。それを見て花房百合恵は困ったような顔になった。

「やめてよ、獅子取さん。あなたのせいじゃないから。私が怒っているのは、ＪＲに対してなの」

「JR？　JRが何かやりましたか」

「そうなのよ。ひどい目に遭ったわ。じつは——」

「それはいけませんっ」獅子取は素早く立ち上がった。「早速、抗議しましょう。おいみんな、駅長室へ行くぞっ」そういうなり、花房百合恵のバッグを抱えたまま歩きだした。

　仕方なく、青山たちもついていくことになった。展開がまるで読めない。

「これも獅子取さんの得意技だ」小堺が横でいった。「作家の怒りの矛先が自分たちではないと判明したら、まずは一緒になって怒る。作家以上に怒って抗議する。事情がまるでわからないのに、あれだけ本気で怒れるのは、ある意味すごい才能だよ」

　青山は後ろから獅子取を見た。丸い頭から湯気が立ち上りそうな気配は、とても演技とは思えなかった。

　駅長室に乗り込んだ獅子取は、客を何だと思っているとか、社員教育はどうなっているのかとか散々怒鳴り散らした後、花房百合恵と交代した。彼女が怒っていたのは、どこかの客がこぼしたビールが足元まで流れてきて不快だったという、JRを責めるのも気の毒な話だったが、駅長は最初の獅子取の剣幕に圧倒されてしまったのか、平身低頭して謝っていた。

「獅子取さんがあんまり怒るから、何だか駅長さんがかわいそうになっちゃったわ」駅長室を出てから花房百合恵はいった。「あんなに怒らなくてもいいのに」

「そうでしたか。いやあ、さすがに先生は心が広い。勉強になります。さあさあ先生、こちらへどうぞ。お車を用意してありますので。さあさあさあさあ」ほかの者に奪われてはならぬとばかりに花房百合恵のバッグを抱きしめ、獅子取は彼女を案内した。その姿を見ながら青山は、さすがだなあと感心するしかなかった。

4

青山が書籍出版部に配属されてから、約一か月が経《た》った。獅子取が「伝説の編集者」と呼ばれる理由は、十分にわかった。あれでは作家から気に入られこそすれ、嫌われることはまずないだろうと思った。すべてを犠牲にしてでも自分のことを優先してくれる人間がいれば、誰だって嬉しいはずだ。

しかも獅子取は、何をするにもふつうのやり方を選ばない。常に相手の印象に強く残るように演出するのだ。

つい先日もこんなことがあった。今は亡き時代小説の大御所作家の法事が行われることになった。その作家の作品は炎英社からも出ていて、現在でも着実に版を重ねている。つまり炎英社にとっても大切なイベントで、社長や役員らも出席した。青山や小堺のような下っ端は、案内係として駆り出された。

坊さんの読経《どきょう》が終わった後、作家の妻を先頭に全員が墓地へと移動した。そこで皆が目にしたのは、汗だくになって墓石を磨いている獅子取の姿だった。

何をしているんだ、と声をかけたのは、炎英社の社長だ。すると獅子取はあわてた様子で墓石から離れ、「申し訳ございません」と作家の妻の前で例のスライディング土下座を敢行した。

「皆様がいらっしゃる前に掃除を終え、引き上げる予定でおりましたが、思いの外《ほか》時間がかかってしまいました。すぐに退散いたします。どうかお許しください」

「まあ、そうだったの。御苦労様。謝る必要なんてないわよ。どうか頭を上げてくださいな。あなたはどちらの方？」作家の妻が尋ねる。

「はい。炎英社書籍出版部の獅子取といいます」

「獅子取さんね。覚えておくわ」

ははー、と獅子取はさらに深く頭を下げた。誰もが唖然《あぜん》としていた。皆がくる前に引き上げる予定だった、なんてのは嘘に決まっている。

獅子取のすごいところは、どんなことだって臆面《おくめん》もなくやれる点だと青山は思った。ふつうの人間なら、良識だとか羞恥心《しゅうちしん》などが働いて躊躇《ためら》ってしまうことでも、迷いなく行動に移せてしまう。ほかの人間が呆《あき》れていようが、お構いなしだ。作家に気に入られれば勝ちだと信じている。そしてたぶんその信念は間違っていない。

「獅子取さんが原稿を貰えなかった作家って、いるんですかねえ」

青山の質問に、小堺は首を捻った。

「さあ、どうかなあ。いないんじゃないかなあ。あの人には独特の嗅覚があって、作家と会って話をしているうちに、どういうことをすれば気に入られるかがわかるそうなんだ。羨ましい才能の持ち主だよ」

「そうですねえ」

青山たちがそんな話をしていると、おいそこの二人、と獅子取に呼ばれた。「ちょっと来い」

青山と小堺は編集長席の前に並んで立った。獅子取が口を開いた。

「赤村《あかむら》さんの件はどうなっている、赤村ミチルさんの件は？　連載は引き受けてもらえたのか」

いやあそれが、と小堺が頭に手をやった。「無理っぽいです」

「無理っぽい？　どうしてだ」

「じつは、前の編集長が赤村さんを怒らせちゃったことがあるんですよね。それ以来、うちには書いてくれなくなっちゃったんです」

「なんだ、それは。その程度のことで諦めるなよ。編集長は替わったといえばいいだろ」

「そういいましたけど、けんもほろろという感じで……」

獅子取は眉間に皺《しわ》を寄せた。

「赤村さんは今や五本の指に入るベストセラー作家だぞ。次の直本賞《なおもと》の本命だともいわれている。そんな人の原稿を取れなくてどうする」

「はあ、すみません」小堺は頭を下げる。青山も横で同じようにした。

「しょうがねえなあ。じゃあ、俺が会おう。セッティングしてくれ」

「いや、それも難しいと思います。仕事をする予定のない会社の人間とは会わない、といっておられますから」

「なんだよ、どれだけ嫌われてるんだ」

「とにかく打つ手がないんです」

うーむ、と獅子取は唸《うな》った。


「会えないんじゃどうしようもない。何か手はないのか」

「会うだけなら、パーティ会場に行けばいいと思いますけど。今週の木曜日に、新日本ミステリ大賞のパーティがあります。赤村さんは選考委員だから、出席されるはずです」

「それだ。その時に何とかして話をするんだ」獅子取は気合いのこもった声でいった。

5

木曜日の午後六時半。青山たちは都内のホテル内にある宴会場にいた。授賞式が終わり、ようやく歓談の時間になった。

「編集長、見つけました。赤村さんはあちらにおられます」小堺が小走りでやってきて、獅子取に報告した。

「よし、行くぞ」持っていたビールを一気に飲み干し、獅子取は移動を始めた。

赤村ミチルの周辺には人だかりができていた。さすがは売れっ子作家だ。いろいろな編集者が話をしようと並んでいる。

その列を全く無視し、獅子取は人をかきわけて赤村ミチルに近づいていく。大きな舌打ちが青山のすぐ横から聞こえてきた。

「何だよ、みんなが並んでるのに割り込むなよ」

「仕方ない。炎英社の獅子取だろ。いつものことだ」

陰口が聞こえていないはずはなかったが、獅子取は無視してどんどん進んでいく。ついに赤村ミチルのすぐ横に辿《たど》り着いた。

「はいはい、ちょっとすみません。はい、ちょっといいですか。赤村先生、お初にお目にかかります。私、こういう者です。いやあ、先生の新作を読ませていただきましたが、相変わらず素晴らしい。感動いたしました。しかもラストのどんでん返しには驚かされました。見事な出来映えです」名刺を出しながら獅子取はまくしたてた。

ショートヘアで色黒、どことなくトカゲを連想させる顔つきの赤村ミチルは、名刺に目を落とし、あからさまに興味をなくした表情になった。「あらそう。ありがとう」素っ気なくいい、名刺をバッグに放り込んだ。そして別の編集者と話を始めそうになった。

だが獅子取は、その編集者と赤村ミチルの間に、ぐいと身体《からだ》をねじ込んだ。

「先生、先生は水泳がお得意だそうですね。じつは私もそうなんです。どうでしょうか。今度どこかで一緒に泳ぎませんか。どこへでも伺います。あるいは、どこかのプールを貸切にしましょうか」

「結構よ。一人で泳ぐのが好きなの。ちょっと、そこをどいてくださらない」

「ではでは、芝居はどうでしょう。先生は観劇が趣味だと聞きました。見たい芝居なんかはありませんか。どんなチケットでも御用意させていただきますが」

「うるさいわね。芝居も一人で見るのが好きなの。とにかくそこをどきなさいっ」

赤村ミチルに叱責《しっせき》され、ようやく獅子取は引き下がった。

ほらね、と小堺はいった。「とりつく島がないでしょ」

だが獅子取は薄く笑った。「いや、そうでもないぞ。脈はある」

「えっ、全然そんなふうには見えなかったけどな」

「だからおまえたちはだめなんだ。何とか、もう一度話をするチャンスがほしいな」

ちょっと待っててください、といって小堺は離れていった。数分して戻ってきた彼は、一枚の紙を手にしていた。

「朗報です。受賞者が二次会を開くそうで、赤村さんも出席されるようです」

「そうか。よし、俺たちも乗り込むぞ」獅子取は拳を固めた。

約二時間後、青山たちは二次会会場のワインバーにいた。人が多くて、居場所を確保するのさえ大変だ。青山と小堺はカウンター席の端に座るのが精一杯だった。ところがどう画策したのか、獅子取は赤村ミチルと同じテーブル席にいる。

ざわざわと騒がしくても、獅子取の声だけはよく聞こえた。

「いやあ、赤村先生は本当に洋服もアクセサリーも趣味が良い。どうしてそんなにお似合いなんですか。スタイリストでもつけておられるんですか。えっ、つけてない？　自分で選んでおられるわけですか。それはすごい。そのセンスがあるから、あんなに素晴らしい小説を書けるんですねえ。いや、違うか。そうじゃないですね。先生自身がスタイル抜群だから、何でも似合ってしまうんですね。そうだ、そうだ、そうに違いない。いやあ、これで謎が解けましたよ、はい」ふつうの人間なら恥ずかしくていえないお世辞も、獅子取の口からはすらすらと出てくる。周りの編集者たちが苦笑しているが、本人は一向に気にしていないようだ。

しかしそんな奮闘も、良い結果には結びつかなかった。赤村ミチルは仏頂面《ぶっちょうづら》のままで、獅子取を見ようともしない。

やがて二次会がお開きとなった。赤村ミチルも帰るらしい。

「先生、もう一軒いかがでしょうか。先生は焼酎がお好きだそうですね。全国の焼酎を揃《そろ》えている店があるんです。是非、お連れしたいのですが」獅子取は食い下がっている。

「遠慮します。灸英社では書かないといったでしょ。しつこいわよ」赤村ミチルが眉尻を吊《つ》り上がらせた。

「それでも結構です。書かなくても結構です。ですから、もう一軒だけ」

「うるさいわね。行かないっといったら行かないのっ」そういい放ち、赤村ミチルは店を飛び出していった。

「あっ、待ってください」獅子取が後を追う。青山たちも続いた。

外に出ると獅子取が土下座をしていた。

「お願いします。せめて御自宅まで送らせてください。一生のお願いです」

赤村ミチルは困り顔で見下ろした。

「やめなさいよ。人が見てるじゃない」

「では、送らせていただけますか。そうでなければ、土下座を続けます」

赤村ミチルは腕組みをし、ため息をついた。

「仕方ないわね。今日だけよ。でもおたくでは書かないから」

「ありがとうございますっ」獅子取はぴょんと立ち上がり、通りかかったタクシーを捕まえた。さらに青山たちのほうを見て、「先生をお送りしてくるから、おまえらはいつもの店で待ってろ」といった。

わかりました、と青山たちは答えた。

いつもの店というのは、編集者たちの溜《た》まり場になっているバーだ。そこで青山と小堺はビールを飲んだ。

「すごいよなあ。あんなに嫌がってる相手を、とにもかくにも説得しちゃうんだもんなあ」小堺が、ため息をついた。

「獅子取さん、赤村先生の原稿を取れるでしょうか」

「いやあ、さすがにそれは無理だと思うよ。さっきも先生、おたくじゃ書かないって断言してたじゃないか」

「そうですよねえ」青山はため息をついた。いくら伝説の編集者でも、不可能なことはあるのかもしれない。

その時だった。ばあんと勢いよくドアが開いて、獅子取が入ってきた。青山たちのテーブルに来ると、生ビールを注文した。

「お疲れさまです。どうでしたか」小堺が早速訊《き》いた。

「うん、やるだけのことはやった。たぶん大丈夫だ」

へえ、と青山は驚いて獅子取の顔を見て、もう一度さらに驚いた。頰に真っ赤な掌《てのひら》の跡がついているからだ。

「獅子取さん、そそ、それはどうしたんですか」

「えっ？　ああ、跡がついてるか。別に何でもない。気にするな」

「気にするなって……」

小堺が携帯電話を取り出した。着信があったようだ。表示を見て、目を剝《む》いている。

「はい、小堺です。……あっ、先程はどうも。……えっ？　まさか。あっ、いえ、わかりました。それでは編集長と相談して、日にちを決めさせていただきます。はい、どうも、失礼いたします」電話を切った後、小堺は放心したような顔で獅子取を見た。「赤村先生からです。連載をするかどうかはわからないが、一度こちらの話を聞いてもいいとのことでした」

「そうかっ。よし、狙い通りだ」獅子取は満足そうにビールを飲んだ。

「編集長、一体赤村先生に何をしたんですか」小堺が訊いた。

「別に大したことはしちゃいない。いつもいってるだろ。作家に気に入られるコツは、その作家が何を望んでいて、今何をやりたいのかを見抜くことだって。俺は赤村先生の欲求を満たしてさしあげたんだよ」そういって獅子取は意味ありげに笑った。

6

「本当にびっくりしたわよ。おまけに呆れたわよ。全く馬鹿よねえ、この人。あなたたち、こんな人が上司で大丈夫？　同情しちゃうわあ。私から役員にいって、編集長を替えてもらう?」

「いやいやいや、先生、勘弁してくださいよ。あの日は酔ってたといってるじゃないですか。どうか御容赦を」獅子取は大きな身体を丸めた。

「いくら酔ってたからって、あれはないんじゃないの。ねえ、小堺君や青山君だって、そう思うでしょ? マンションまで送ってくれたのはいいけど、突然プロポーズよ。一目惚《ひとめぼ》れしました、結婚してください、よ。どう思う?」

「いやまあそれは」小堺が頭を掻く。「後から聞いて、僕たちも驚きました」

「そうよねえ。私が、からかわないでといったら、真剣です、本気なんですといって、キスを迫ってきたのよ。馬鹿でしょう? それで私、思いきりほっぺたを叩《はた》いてやったの。そうしたらこの人、ひいひい泣いて謝るのよ。土下座して。こんな馬鹿な人、見たことないわ」

「いやあ、本当に申し訳ないことをしました。しかし先生、わかっていただきたいのは、酔ってはいましたが、一目惚れしてしまったのは本当だということです。プロポーズも本気でした。いや、今でも諦めてはおりません」獅子取はきっぱりといいきった。

「どうか諦めてちょうだい。あなたみたいな馬鹿な人と、私が結婚するわけないでしょう。もういいから、あなたは帰ったら? 仕事の打ち合わせは、この二人とするから」

「先生、そんなことをいわないで。口出ししませんから、ここにいさせてください」

「だったら、少し離れてちょうだい。あなたの暑苦しい顔を見ていると、何だかこっちまで息苦しくなってくるのよね」

赤村ミチルは獅子取の悪口を連発する。しかしその口調は明るく、上機嫌といってよかった。その後の打ち合わせも順調に進み、灸英社は彼女の連載をもらえることになった。

打ち合わせ後、赤村ミチルを自宅まで送るという獅子取と別れ、青山たちは会社に戻ることにした。地下鉄に乗ると、二人同時にため息をついた。

すごいよなあ、と小堺がいった。すごいですよねえ、と青山も応じた。

「プロポーズだぜ。あの局面で。ふつう思いつかないよ」

「編集長によれば、先生と話をしているうちに閃《ひらめ》いたってことでした」

「うん、たしかに赤村先生は未婚だし、浮いた話なんて一切ない。プロポーズされたこともなければ、当然のことながら男を振ったこともないかもしれない」

「キスを迫られて、相手を平手打ちしたことも……」

「ないだろうなあ」小堺はいった。「獅子取さんによれば、そういうことを一度はしてみたいという赤村先生の潜在願望に気づいたってことだったが、それにしてもなあ。失敗したら、大変なことになってたぞ」

「そうですよねえ」青山は獅子取がプロポーズしている光景を思い浮かべた。一体、どんな思いで求婚の台詞《せりふ》を吐いたのか。

ふと気づいたことがあった。

「ねえ、もし先生がプロポーズを受け入れたら、獅子取さんはどうするつもりだったんでしょうねえ。まあ、そんなことは絶対にあり得ないと思ったんでしょうけど」

「さあなあ」小堺は首を捻ってから、青山を見た。「もしかしたら、その時はその時。それでもいいと思ったんじゃないか」

「えっ、つまり赤村先生と結婚してもいいと？」

「獅子取さん、奥さんと別れて、今は独身だからな。原稿を貰うためなら、それぐらいのことはやるんじゃないか」

「えっ、まさか」

「わからんぜ。何しろ、伝説の編集者だからな」

うーむ、と青山は考え込んだ。獅子取の土下座姿を思い浮かべ、あり得ないとはいいきれない、と思った。

夢の映像化

1

その電話がかかってきた時、熱海圭介《あたみけいすけ》はモデルガンのカタログを見ていた。現在執筆中の小説に登場してくる人物に、どんな銃を持たせればいいかを考えるためだった。単に銃の名称を書いただけでは物足りない、その銃に関する蘊蓄《うんちく》も書き込もうと考えていた。そのほうがマニアは喜ぶだろうし、マニアでない読者も、熱海圭介は綿密に取材をする作家だと思ってくれるに違いない、という計算があった。

熱海はファクス兼用の電話に手を伸ばした。専業作家になった時、必要かと思って購入したものだが、ファクス機能を使ったことは殆《ほとん》どない。

「はい、熱海ですが」

「あ、どうも御無沙汰しております。私、灸英社書籍出版部の小堺です」

「ああ、どうも」熱海は声のトーンを上げた。

小堺は、熱海が灸英社が主催する新人賞を受賞した時からの担当編集者だ。当時は

『小説灸英』という小説雑誌の編集部にいた。今は単行本の部署に移っている。

「今、ちょっとよろしいでしょうか」

「ええ。何ですか」

少し期待した。熱海は新人賞受賞作『撃鉄のポエム』を収録した単行本を灸英社から出している。その本がようやく増刷になったのではないか。

「じつをいうとですね、『撃鉄のポエム』のことなんですが」

「はい」わくわくした。やはり増刷か。

「映像化の話が来ておりまして」

「えっ」

「それで、どうしたらいいですかね。熱海さんに直接連絡してもらうようにしますか。それとも――」

「ちょっ、ちょっと、ちょっと待ってください」喉に痰《たん》がからんだ。空咳《からせき》をした。体温が上昇していくのがわかる。「それ、どういうことですか。映像化って、あの、『撃鉄のポエム』を映像にしたいって、そういうことですか」

「そうですけど」

「えーっ」熱海は受話器を握りしめ、身体《からだ》を後ろに反らせた。顔がほころんでしまうのを抑えられない。「本当ですか。それ、どこから話が来たんですか。映画ですか、テレビですか」

「テレビドラマってことでした」

「ドラマ？　連ドラですか」

「いえ、二時間の単発ドラマらしいです」

「ああ、スペシャルドラマね」

番組の改編期に放送される特別番組のことを熱海は思い浮かべた。

「で、主演は誰ですか」

「いや、そこまではまだ決まってないようですけど」

「なんだ」少しがっかりした。

「ええとですね、熱海さん」小堺がやけに落ち着いた声を出した。「話を持ってきたのはプロダクションの人間なんです。それでテレビ局に対する企画として、『撃鉄のポエム』を取り上げさせてもらっていいかという打診の段階でして」

「ははあ、なるほど」相槌《あいづち》を打ったが、熱海には今ひとつ意味がよくわからなかった。

「どうしましょう。僕の手元に企画書が届いているので、それをとりあえず熱海さんにお送りしましょうか」

「あ、そうですね。じゃあそうしてください」

わかりました、といって小堺は電話を切った。

受話器を置いた後、熱海はしばらく動かなかった。じっくりと喜びを噛《か》みしめるためだ。

映像化――俺の作品が、あのデビュー作『撃鉄のポエム』が映像になる。有名な役者たちが、あの世界を目に見える形にしてくれるのだ。そしてそれがテレビで流れる。全国に放送される。

早くも熱海の脳裏には、テレビ画面にタイトルが表示される様子が浮かんでいた。背景は大都会の夜景がいい。空撮するのだ。それをバックに文字が出る。スペシャルドラマ『撃鉄のポエム』、さらにその下には、『原作　熱海圭介』の文字。

すごいことになるぞ、と期待に胸が躍った。映像化された小説はベストセラーになることが多い。『撃鉄のポエム』は初版四千部止まりだが、これで自分も売れっ子作家の仲間入りができるのではないか。

喜びの感情が膨らみ、じっとしていられなくなった。熱海は携帯電話を手にしていた。

「あっ、もしもしお袋？　俺だよ、圭介。……ああ、もちろん元気にしてる。……大丈夫だ、野菜だって食ってるよ。そんなことより、すごい話があるんだ。じつはさ、今度俺の小説がドラマ化されることになったんだ。……そうだよ、テレビだ。『撃鉄のポエム』をさ、ドラマ化したいといってきたんだよ。……嘘《うそ》じゃないって。出版社から連絡があったんだ。……だろ？　すごいだろ？　いやあ俺もさ、どうしてあれを映像化しないのかなって、ずっと不思議だったんだよな。……あっ、なんだ急に替わるなよ。親父《おやじ》か。……元気だって。……そうだよ、テレビだ。……なあ、やっと俺も注目されてきたのかもな。……いや、役者はまだ決まってないってさ。ていうか、親父は最近の俳優の名前なんて知らないだろ。……ああ、それはわかってる。ちゃんとチェックするつもりだよ。原作を大事にしてもらわないとな」

この後、熱海は五人の知り合いに電話をかけ、映像化決定の報告を行った。

2

ビールがうまかった。たてつづけにおかわりし、ふうーっと長い息を吐いた。

「しっかし、すごいよなあ」光本《みつもと》が熱海の顔を見て、首を捻《ひね》った。「小説の新人賞を獲《と》って、作家デビューしたと思ったら、今度は映像化だぜ。一体どこまで偉くなる気だ」

いやいやそんな、と熱海は手を振る。

「こんなの大したことないって。映画とかだったら、話は別だけどさ」

「いやあ、テレビだってすごいよ」そういったのは伊勢《いせ》という男だ。

「小説がドラマ化されてる作家なんて、有名作家ばっかりだぜ。そんな中に入ったわけだから、大したもんだ」

「うん、すごいと思う」紅一点の美代子《みよこ》が大きく頷《うなず》いた。

彼等は熱海が会社員だった頃の仲間だ。今夜は当時から行きつけにしていた居酒屋で飲んでいる。

「そうはいっても、映画にしてほしかったというのが本音なんだよな。あの作品は映画向きだと思うから」

熱海の言葉に三人は首を縦に振った。

「そうだよなあ。スケールが大きいもんなあ、『撃鉄のポエム』は」光本がいう。「逆にいうと、大きすぎるのかもな」

この一言に、「あっ、それ」と熱海は反応した。

「俺もそう思うんだ。スケールがでかすぎた。あれを映画でやろうとすると、どうしても予算がかかりすぎるんじゃないかな。ハリウッドでないと無理かもしれない」

「そうかあ。日本の会社じゃ無理なんだ」美代子が納得顔で熱海のグラスにビールを注いだ。

「その点、テレビだと安く作れるわけね」

「だろうと思うんだよな。だからまあ、今回は仕方ないかなと」熱海は注いでもらったばかりのビールを口元に運んだ。

「ねえ、役者はもう決まってるの？」

「いやあ、それがまだらしい。これから決めるんじゃないか」

「あっ、だったらあの人出してよ。木林拓成《きばやしたくなり》」美代子が目を輝かせた。

「えー、キバタクかよ」顔をしかめたのは伊勢だ。「キバタクは何の役をやってもキバタクだからなあ。俺は反対」

「どうしてよ。いいと思うけど」

「でもキバタクは主役しかやらないだろう？」熱海がいった。「主役の郷島《ごうじま》をやるには若すぎるんじゃないかな」

「それはいえてる。郷島役には高井利一《たかいりいち》あたりがいいんじゃないか」

光本の意見に美代子が目を剝《む》く。「うっそー、それこそあり得ない。地味すぎ」

「そうかなあ」

「なあなあ、ヒロインは誰がいい？」伊勢がいった。「郷島がヘリコプターで救いだすシーンがあるだろ。あそこは相当スタイルの良い女優でないと引き立たないぜ」

「あー、あそこはいいねえ。熱海、おまえから役者の希望っていえないのか」

「いや、いえると思うよ。俺がオーケーを出さなきゃ何も始まらないわけだから」

おう、と三人が歓声を上げた。

「じゃあ、松崎羅々子《まつざきららこ》を使ってくれ。大ファンなんだ」光本が拝み手をする。

「えっ、ちょっとイメージじゃないんだけどな」

「そんなこというなよ。このとおりだからさ。でさ、もし実現したら、撮影現場に連れていってくれ」

あー、と美代子が大きく口を開いた。

「それそれ。その手があった。ねえ熱海君、やっぱりキバタク使って。一生のお願い」

「何だよ、それ。単に自分が会いたいだけだろ」

「いいじゃない。よくいわれるんだよね。友達が作家になったんなら、何か特典とかないのって。キバタクに会えたら、たぶん一生自慢できる」

「じゃあ俺は松崎羅々子。頼むよ、なあ」光本は土下座を始めそうな勢いだ。

「俺は誰でもいいよ。女優と一緒のところを写真に撮らせてくれれば」伊勢も乗ってきた。

「しょうがねえなあ、おまえらは」熱海は、わざとらしく嘆息した。「じゃあ、考えておくよ」

三人がさらに大きな歓声を上げた。

「ねえ、熱海君は出ないの？」美代子が訊《き》いた。

「えっ、俺が？」

「そう。よくあるじゃない。原作者がちらっと出てるってこと。あれ、やりなさいよ」

「おー、いいじゃないか。出ろ出ろ」伊勢も囃《はや》し立てる。

「えー、勘弁してくれよ」そういいながら熱海はまんざらでもなかった。

「じゃあ、もし出てくれって頼まれたら？」光本が訊く。

「うーん、その場合は考えてもいいかな」

三人が喜びの奇声を発した。居酒屋の若い店員が飛んできて、少し静かにしてくれといった。

悪い悪い、と伊勢が店員に謝った。

「でも聞いてくれよ。ここにいるこの男はさ、俺たちの友人なんだけど、作家でもあるんだ。で、今度こいつの小説がドラマになるんだよ。主演はキバタクで相手役は松崎羅々子だ。どうだい、すごいと思わないか」

へえ、といって店員は瞬《まばた》きした。「すごいですね。あの、後でサインもらえますか」

ああいいよ、といって熱海はグラスを傾けた。最高に気持ちの良い夜だった。

3

熱海のもとに企画書が届いたのは、小堺から電話があった日から二日後のことだった。すぐに届くと期待していた彼は、昨日は一日中そわそわしていて、外出すら控えた。今日届かなければ小堺に催促の電話をかけようとさえ思っていたのだ。

わくわくしながら大型封筒から企画書を取り出した。Ａ４判用紙が数枚、ホチキスで留められている。表紙には、『梅雨時《つゆどき》ミステリードラマ　企画書』とあった。

表紙をめくると、一番上にタイトルが書かれていた。それを見て、熱海は眉をひそめた。『有閑マダム刑事・北白川麗美《きたしらかわれいみ》の事件簿　最後の銃声』となっていたからだ。

何だよ、小堺のやつ、間違えてるよ——そう思った。別の作家に送るべきものを、熱海のところへ送ってきたらしい。となると、『撃鉄のポエム』の企画書も、別の人間のところへ送られているおそれがある。

早速灸英社に電話をかけた。幸い小堺は席にいた。企画書が違っていることをいった。

「いえ、間違えてないはずです。ほかに企画書なんかありませんし」

「でも違ってますよ。これは全然別の――」そこまでいったところで熱海は言葉を切った。タイトルの下に企画意図などが書かれているのだが、そこに、原作は『撃鉄のポエム』、とあったからだ。

どうしたんですか、と小堺が訊いてきた。

「……いや、いいです。確認して、また電話します」あわてて電話を切った。

改めて企画書を読み直してみた。そこには次のように記されていた。

『梅雨は鬱陶《うっとう》しいものです。じとじとと降る雨を見ていたら、誰でもスカっとしたいと思うはずです。しかし現実はどうでしょう。嘘、謀略、裏切り――現代人はそうしたものに囲まれて生活しています。心の中は一年中梅雨なのです。だからこそエンターテインメントぐらいは、複雑な人間関係や駆け引きといったものからは解放され、気楽に楽しみたいと願っている人がたくさんいます。そこで今回は、シンプルにして爽快感のあるドラマ作りを目指すことにしました。原作は「撃鉄のポエム」（著・熱海圭助　灸英社）で、それをコメディドラマ風にアレンジしたものが本作です。映像化にあたり主人公の刑事を、夫が大金持ちで趣味で捜査をしている有閑マダムという設定にしました。

この変更により、原作ではやや強引と思われるストーリー展開も、逆にユーモアにあふれる遊びとして輝きを放つと確信しています。』

読んでいて、軽い目眩《めまい》がした。

何ということだ。『撃鉄のポエム』の主人公は、郷島巌雄《いわお》という刑事だ。常に一匹《いっぴき》狼《おおかみ》で、人の命令に従って動くことを嫌う男だ。その郷島が、たった一人で悪の組織と戦うというのが、大まかなストーリーなのだ。どこからどう見てもばりばりのハードボイルドで、いわば男の世界を描いた作品だ。それなのになぜ「有閑マダム刑事」なのか。しかも熱海圭介の介の字が違っている。

熱海は次のページを見た。そこにはストーリーが書かれていた。ざっと読み、頭に血が上るのを感じた。破り捨てたい衝動を辛うじて抑えた。

電話を取り、再び小堺にかけた。これはどういうことか、と少し乱暴な口調で訊いた。

「といいますと？」小堺がおっとりした調子で訊いた。

「全然原作と違ってるんですよ。タイトルも主人公も変わっている。こんなんじゃ話にならないな」

「そんなにひどいんですか」

「そんなにって、小堺さん、読んでないんですか」

「ええ、ちょっと手が離せなくて。すみません」

プロダクションから送られてきたものを、そのまま熱海に転送したらしい。

「じゃあ、これからファクスで送りますから、読んでみてください。いいですね」

はあ、と煮えきらない声で小堺は返事した。

熱海は企画書のホチキスを外し、ファクスで小堺の部署に送ることにした。ファクスを使うのは久しぶりだったので、少し手間取った。

送ってからきっかり三十分後に電話をかけた。読みましたか、と訊いた。

「あ、すみません。まだ読んでないんです。お急ぎでしょうか」さほど申し訳なく思っていないような口調で小堺は訊いてきた。

できれば、と熱海はいった。語気を少し強めた。

「じゃあ、読んだらこちらから電話します」小堺がいった。

「わかりました。よろしくお願いします」

電話を切り、パソコンの前に座った。仕事をしようと思うが、苛々《いらいら》して集中できない。再び企画書に手を伸ばした。

大まかなストーリーの後に、キャストを書いた欄があった。想定、と但《ただ》し書きが付いている。だがそこに並んだ名前を見て、熱海は深く落胆した。売れっ子とはとてもいえない役者ばかりだ。当然、木林拓成や松崎羅々子の名前はない。

せっかくの映像化なのに、この顔ぶれかよ——ぼやきが口から漏れていた。

ようやく小堺から電話がかかってきた。読みましたけど、と彼はいった。

「どう？　ひどいでしょ」

小堺は電話の向こうで、うーん、と唸《うな》った。

「こういうことって、さほど珍しくないんですよね。主な視聴者が主婦層だから、主人公を女性に変更しちゃうってのは。当然、タイトルも変わってきちゃうわけで」

「しかしマダム刑事はないでしょう。有閑マダム刑事ってのは」

ははは、という小堺の軽い笑い声が聞こえた。

「たしかに笑っちゃいました。でもこれ、よく考えてあると思いますよ」

「どうして？　旦那が大金持ちで、だから上司を無視して好き放題の捜査ができるという設定ですよ。無茶苦茶だと思いませんか」

「それはそう思います。ただ、主人公が上司を無視して好き放題に捜査するのは、原作通りじゃないですか」

「えっ……」

「設定が違うだけで、本質は同じだと思いますけど」

「いや、それは違う。郷島は上の命令には従わない一匹狼で、自分の信念に基づいて行動しているんです」

小堺がまた、うーん、と唸り声を発した。

「僕としては、このドラマのほうが受け入れやすいですけどねえ。単に一匹狼だからという理由で上司の命令を無視してたら、ふつう飛ばされますよ」

うっと言葉に詰まった。咄嗟《とっさ》に反論が思いつかない。

それに、と小堺は続けた。

「最後まで読みましたけど、結構原作に忠実じゃないですか。ここまで元の話を大切にしてくれることって、そうないですよ」

「えっ、どこが忠実だっていうんですか。小堺さん、本当に読んだんでしょうね」

「読みましたよ。じゃあ、どこが原作通りじゃないというんですか」

「そんなの、何もかもですよ。たとえばこの有閑マダム刑事ってのは、何かっていうと旦那のコネと金を使いますよね。マフィアを買収して情報を手に入れたり、知り合いの武器商人から軍事用ヘリコプターを買ったり。こんなことができるなら何でもありです。原作では主人公がもっと苦労しています」

同意してもらえると思ったが、小堺からは、「いや、それはどうかなあ」という意外な答えが返ってきた。

「どうかなあって……」

「原作では、主人公が昔逮捕した男がマフィアにいて、その男が主人公の男気に感服して捜査に協力してくれるという設定でしたけど、やっぱりあり得ないと思うんですよねえ。軍事用ヘリコプターにしても、原作では米軍から盗み出したことになってますけど、いくら何でも無理があるかなと。だからまあこういっては何ですけど、何でもありというう点では、原作とどっこいどっこいってところだと思うんです。いやもちろん、その何でもありなところが、この小説の持ち味でもあるわけですが」

熱海はまたしても言葉に詰まる。小堺が指摘した点は、インターネットのレビュー欄などで散々叩《たた》かれた部分でもあるのだ。

とにかく、と熱海はいった。

「こんなのでは納得できません。考え直すようにいってください」

「そうですか。ではお断りするということでいいですか」

「えっ、断るって……」

「こんな企画ではだめだってことでしょう?」

「いや、まあそうなんだけど、断るってことではないです」

「違うんですか。では、どうすればいいですか」

「だからそれは……あの、こちらの希望を伝えてください。もっと原作通りにやってほしいと。主人公も男に戻して」

「ははあ」小堺が意味ありげに沈黙してからいった。「それを先方に伝えるのは構いませんが、そうするとたぶん、この話はなくなると思います」

ぎくりとした。「えっ、どうしてですか」

「だって先方がわざわざこういう企画書を出してきたのは、このように変更したらドラマ化の可能性があると考えているからだと思うんです。その変更が不可ということなら、当然ドラマ化の話そのものがなくなります」わざと冷徹に聞こえるようにしているのかと思うほど、淡々とした口調だった。

熱海が返答に窮していると、どうしますか、と小堺が尋ねてきた。

とりあえず、と熱海はいった。「少し考えさせてください」

では回答をお待ちしています、と小堺はあっさりといって電話を切った。

再び熱海はパソコンの前で考え込んだ。ドラマ化の話は捨てがたい。だがここまで妥協していいものだろうか――。

ふと横を見た。そこには『撃鉄のポエム』が何十冊と積まれている。出版社から送られてきたものではない。熱海が自分で書店を回り、買ったのだ。出版社は本の売り上げを調べるために、いくつかの書店をモニターにしている。そこで、それらの書店で本を買うことにより、『撃鉄のポエム』が売れているように見せかけようとしたのだ。だがその苦労は報われず、一度も増刷はかからない。

ドラマ化されたら話題になる。そうすれば本が売れることも期待できる。

その時、電話が鳴った。着信表示を見ると、実家からのようだ。少し気が重かったが受話器を取った。かけてきたのは母だった。ドラマ化の話はどうなった、といきなり訊いてきた。

「うん、まあ進んでるよ。企画書が送られてきた。……いや、そこまではわかんないよ。……えっ、親戚にも話したのか。……まあ、いいけど。えっ？　……ははは、みんな好きだなキバタクが。……ああ、一応いってみるけど期待するなっていっといてくれ。じゃあ、もう切るぜ。忙しいから。……ああ、わかってるよ」

電話を切り、項垂《うなだ》れた。両親の顔が浮かんだ。ドラマ化がボツになったと知ったら、彼等は親戚連中に合わせる顔がなくなるだろう。また光本や伊勢、美代子には何といったらいいのか。

腹を決めた。熱海は再び受話器を上げた。

「もしもし。小堺さんですか。熱海です。ドラマ化の件ですが、あの企画で結構です。……はい、オーケーということです。あのう、ただ一つだけ希望がありまして。……ええ、配役のことです。これって僕から希望をいってもいいんですよね。……ええ、それはわかります。必ず希望通りになるとは思ってません。でも一応、お伝えしておこうと思いまして。……ええとですね、主役には松崎羅々子がいいと思うんです。それから、これはどんな役でもいいですから、何とか木林拓成を出してもらえないかなと。……ええ、キバタクです。……そうですか。じゃあ、ひとつよろしくお願いします」

4

『撃鉄のポエム』のドラマ化が決まったと聞いた時、小堺は少し驚いた。本当ですか、と何度も確認した。

本当です、とプロダクションの人間は電話で答えた。近々正式な契約書を交わしたいという。

「わかりました。じゃあ、僕のところに送ってください。熱海さんのサインと判子を貰《もら》ったら、そちらに送り返します」そういって電話を切った後、思わず首を捻っていた。

意外なこともあるものだと思った。『撃鉄のポエム』のドラマ化。あんな企画、まず通らないだろうと決めつけていた。そもそも二時間ドラマの企画など、新作小説が発表された時のツバ付けに過ぎないことが多い。とりあえず押さえておこうという程度の話だ。自分の作品がドラマ化されるかもしれないと聞いて舞い上がり、結局は実現しないと知って落ち込んでしまう作家を数えきれないほど見てきた。おそらく今回の熱海もそのくちだろうと思っていた。

ところが予想に反して、企画は通った。予算の関係で、企画書よりもさらに話のスケールが小さくなり、役者のランクも落ちたらしいが、それは仕方がないだろう。実現するだけでも大したものだ。

小堺は熱海に電話をかけた。作家の喜ぶ顔が目に浮かぶようだった。

電話が繋《つな》がった。小堺はドラマの企画が通ったことを報告した。相手のテンションが一気に上がるのを待った。

しかし熱海にさほど喜んでいる様子はなかった。彼が最初に発したのは、「主演は誰ですか」という質問だった。

小堺は主演女優の名前をいった。すると熱海は、「えー」と露骨に失望の声を響かせた。

「あの女優なんて、もう過去の人じゃないですか。松崎羅々子がよかったんだけどなあ」

馬鹿かこいつは、と小堺は思った。あんなトップ女優が、単発のB級ドタバタコメディに出るわけがない。先方に希望を伝えるとはいったが、もちろん嘘だ。松崎羅々子の名前なんか出したらこっちが恥をかく。

「スケジュールが合わなかったそうです」とりあえずそういった。

「そうなんですか。じゃあ、木林拓成は？　出るんですか」

論外。国民的スターだぞ。

「いやあ、やはり難しいそうです。あの人は主役しかしないから」

熱海がふうっと息を吐くのが聞こえた。

「そうですよねえ。そうだと思った。だから主役は男のままにしてほしかったんだよなあ」

そういう問題ではないが、「仕方ないですねえ」と話を合わせておいた。

「ねえ、今からでももう少し何とかなりませんか。松崎羅々子とかキバタクは無理でも、もうちょっと売れている俳優を使ってほしいんですけど」

小堺は顔をしかめた。こいつ全然わかってねえなあ。

「あのですねえ、熱海さん。こういう企画って、通常はまず通らないんですよ。同じような企画が何十本も上がってきて、その中からテレビ局が選ぶんです。落とされるのがふつうなんです。あなたの作品がドラマ化されるんですよ。もっと喜ばないと。それとも、やっぱり嫌だって断っちゃいます？　正式契約前だから、不可能ではないですけど」

するとと熱海は、「いえいえ、そんなことは」と焦った調子でいった。「断るとか、そういうことじゃないです。それはあの、進めてもらって結構です」

「じゃあ、近々僕のところに契約書が届きますから、それを熱海さんのところに送ります。そこに署名捺印《なついん》して、送り返してください」

「わかりました。それで、宣伝はいつからするんですか」

「宣伝？　何の宣伝ですか」

「もちろん、本の宣伝です。ドラマ化ってことで、いろいろとやりようがあると思うんですけど。たとえば、まずは帯にそのことを謳《うた》うとか。ドラマのスチール写真を載せることもあるみたいですけど」

「ああ」つい、気のない声が出た。

熱海のいっていることは間違いではない。たしかにドラマ化が決まれば、そのことを告知する帯に替えることは多い。主演俳優たちの写真を載せることもしばしばだ。だがそれは連続ドラマや特番の時だけで、通常の二時間ドラマ枠ではまずやらない。そんなことを毎回していたらきりがないし、金がかかる。

だがはっきりとそういうわけにもいかないので、「考えておきます」と小堺は答えた。

「あとそれから、記者会見はいつですか」

「記者会見？　何のですか」

「制作発表のですよ。日にちが決まっているなら、教えてもらえると助かるんですけど」

小堺は腰がくだけそうになった。こんなしょぼいドラマで、そんなことをするわけがない。しかも、もしやるようなら熱海は出席する気らしい。

「そういう話が出てきたらお知らせします」

「お願いします。とにかく本の宣伝のことは考えておいてください。こういうのってタイミングが大事だと思うから」

「わかりました。検討しておきます」

電話を切り、小堺は頭を振った。

熱海は根本的に勘違いをしている。今の時代、映像化されたからといって、簡単に本が売れたりはしないのだ。連ドラや映画なら少しは動く。だが期待したほどではないというのが現実だ。ましてや通常の二時間ドラマでは、読者の反応は皆無といっていい。熱海も何度か経験すればわかるだろう。もっとも、あの時代遅れのハードボイルド小説を映像化したいという人間が、今後も現れるかどうかは怪しいが。

そんなことを考えていたら電話が鳴った。小堺は即座に受話器を上げた。

「はい、灸英社書籍出版部です」

「もしもし、熱海圭介先生の担当はそちらでよろしいでしょうか」男の声が訊いた。

「はい、私が担当の小堺です」

「突然失礼いたします。私は――」男は名乗った。大手芸能事務所の人間だった。

「じつは、『撃鉄のポエム』という作品についてお尋ねしたいことがあるんです」

「はあ、何でしょうか」

「あの作品の映像化の権利は、現在どうなっていますか」

「えっ、『撃鉄のポエム』のですか」

「そうです」

「あー、それはですねえ、もう決まっちゃったんですよ」

「えっ、そうなんですかあ」相手の声が露骨に落胆を示した。「もう、どうしようもないんでしょうか。契約は済んだんですか」

「そうですねえ。あの作品の映像化については、もう全部決まっちゃいました」実際には契約は済んでいないが、面倒なのでそう答えた。

「わかりました。そういうことなら諦めます。お忙しいところ、すみませんでした」

いいえ、といって小堺は電話を切った。それから肩をすくめた。

不思議なこともあるものだ。あんな作品を映像化したいと思う人間がほかにもいたとは。

だけどまあ、どうせ大した企画じゃないだろう。小堺は、今の電話のことは忘れることにした。熱海に教える気もなかった。


携帯電話を握りしめたまま、男はため息をついた。

「どうだった?」彼の後ろにいる人間が訊いてきた。「諦めます、とかいってたけど」

男は振り返り、首を振った。

「一歩遅かったみたいです。『撃鉄のポエム』、もうどこかに押さえられたみたいです」

ソファで寝転んでいた男が、むっくりと起き上がった。「どうにかならないのかよ」

「無理のようです。すでに契約が済んだらしいですから」

すると相手の男は、そばにあったクッションを摑《つか》み、投げつけてきた。

「だからもっと早く動けっていっただろ。それなのにぐずぐずしやがって」

「申し訳ありません。どこが押さえたのかを調べて、主役に使ってもらえるように交渉してみましょうか」

「馬鹿いうなっ。そんなみっともない真似《まね》ができるか。そういうことをしたくないから、こっちで権利を押さえようと思ったんだろうが」

すみません、と男は頭を下げた。

「……ったく。マジかよ。あの主人公は俺しかできないんだよ。俺は、ああいう作品を待ってたんだよ」

稀代《きたい》のスター木林拓成は、そういって舌打ちした。

序ノ口

1

午前六時にセットした目覚まし時計が鳴り出す前に、只野六郎《ただのろくろう》はアラームのスイッチを切った。時刻は午前五時五十分。昨夜寝床に入ったのが午後十一時だから、七時間近く寝床で横たわっていたことになる。しかしそのうち実際に眠っていたのは何時間ほどだろう。自分の意識としては全く眠っていないように思うのだが、そういう時でも案外眠っているらしいから、二、三時間程度だろうか。いずれにせよ、眠ったという実感はなかった。身体《からだ》を起こすと頭が重かった。

食欲などなかったが、何か食べておく必要があった。今日はどれだけ体力を使うことになるかわからないからだ。昨夜のうちに買っておいたコンビニのおにぎりを、ペットボトルのお茶で胃袋に流し込んだ。

その後、洗面所で歯を磨き、顔を洗った。鏡には、疲れきった男の顔が映っていた。このところ短編小説の仕事が続いたが、疲れの原因はそんなことじゃない。

服を着替え、玄関の荷物に目を向けた。今日のための準備は、昨日の昼間に済ませておいた。

まさかこんな日が来るとはなあ——大きなキャディバッグを見ながら、六郎はぼんやりと思った。当日になりながらも、まだ信じられなかった。自分がゴルフをする、という事実がだ。

「やりましょうよ、ゴルフ。ねえ、唐傘《からかさ》さん。楽しいですよ、ゴルフは。作家の方は皆さんやってますよ。作家になったらゴルフです。是非ともやらなきゃいけません」こんなふうにいったのは、灸英社の獅子取という編集長だった。唐傘というのは、六郎のペンネームだ。下の名前はザンゲという。唐傘ザンゲだ。冗談半分で付けたのだが、この名前で応募した小説で新人賞を獲《と》ってしまったので、今さら変えられなくなった。

どうしてゴルフをやらなきゃいけないのか、と六郎は訊《き》いてみた。

「だってそりゃあ、作家の方だって付き合いってものが必要じゃないですか」獅子取は即答した。「作家に人間関係なんて必要ないと思っておられるかもしれませんけど、そうではないですよ。たとえば、売れ行きが同じクラスの作家さんが二人いるとします。どっちかに新連載をお願いしようって話になったら、やっぱり付き合いの深い作家さんのほうに先に話を持っていきます。それが人間ってものです」

獅子取の話には、ある程度説得力があった。そういわれればそうかもしれないと思った。

六郎は作家としてデビューして三年になる。新人賞受賞作の『虚無僧探偵《こむそうたんてい》ゾフィー』はそこそこ売れたが、それ以後に出した本はいずれも初版止まりだ。長編の書き下ろしや短編の依頼はちょくちょく来るが、連載の依頼はまだない。同時期にデビューして、売れ行きも六郎と大して変わらないと思える作家が連載の仕事をしているのを見ると、編集者との付き合いも大事なのかなとは思ってしまう。

「もちろん、それだけじゃないですよ」獅子取はいう。「編集者との付き合いも大事ですが、それ以上に大切にしなきゃいけないのが先輩作家との交流です。そういう人たちの話を聞くと、いろいろとためになりますよ。小説の技術だけじゃなく、この世界で生き延びていくためのテクニックなんかも教えてもらえるんです」

それに、と獅子取は声をひそめて続けた。

「先輩の作家さんの中には、文学賞の選考委員をしている方もたくさんいらっしゃいます。いくつかの候補作の中に、自分が日頃からかわいがっている後輩作家の作品が入っていたら、推《お》してやろうかなっていう気になるのが人情じゃないですか」

この話には、少し抵抗感を覚えた。それってインチキではないか。

「いや、そんなことないですよ」獅子取は口を尖《とが》らせた。「文学賞の候補になるっていう作品は、どれもみな優れた作品なんです。はっきりいって、どれが受賞してもおかしくないわけです。結局、選考委員の好みとか、作家の将来性とかを考慮するしかないんです。そういう時、どういう人間が書いたのかを全然知らないより、その作家についてよく知っているほうが自信を持って推せるじゃないですか。そう思いませんか」

そういわれれば、そんな気もした。

「でしょ？　だからゴルフです。ベテラン作家たちは、みんなゴルフをやりますからね。ゴマをする必要はありませんが、親しくしておいて損はありません」

ふーん、そうなのかなあ。

釈然とはしなかったが、そんなわけで六郎もゴルフを始めることになったのだった。何か運動をしたほうがいいかなと思ってもいた。獅子取は道具を見立ててくれただけでなく、練習場やレッスンプロまで段取りしてくれた。

始めてみると、たしかに面白かった。練習場で打っているだけでも楽しかった。気分転換にもちょうどいい。

ところがそんなふうにして数週間が経《た》った頃、獅子取から電話がかかってきた。灸英社主催のゴルフコンペに出ないかというのだった。

「光島《みつしま》先生や玉沢先生といったベテランの作家さんたちも参加されます。顔を売っておくチャンスですよ」

びっくりした。六郎はまだコースには出たことがない。迷惑をかけて、先輩作家たちを怒らせたりしたらまずいではないですか。

「大丈夫、大丈夫。ゴルフが下手《へた》だからって、先輩作家から嫌われる作家なんていませんよ。逆に玉沢先生なんて、若い頃からプロ級の腕前だったものですから、おまえは小説を書かずにゴルフばっかりしてるのかって、よく先輩作家からいじめられてましたよ。じゃあ、オーケーってことでいいですね。参加の申し込みをしておきますよ」一方的にいうと、六郎の返事を聞かずに獅子取は電話を切ってしまったのだった。

で、今日がその本番当日だ。

気が重いなあ、行きたくないなあ、と思うが、今さらキャンセルはできない。どうしてあの時にきっぱりと断らなかったのかと後悔しても、もう遅い。

2

支度を済ませてぼんやりしているとインターホンが鳴った。出てみると灸英社の小堺だった。小堺は六郎の担当で、獅子取の部下だ。

マンションを出ると一台の黒いハイヤーが待っていて、その傍らに運転手と小堺が立っていた。

「おはようございます」瘦せた体形の小堺が丁寧に頭を下げてきた。ゴルフウェアの上からジャケットを羽織っている。

おはようございます、と六郎も挨拶した。

運転手が素早く動き、後部ドアを開けた。六郎は恐縮しながら乗り込んだ。ハイヤーに乗るのなんて初めてだ。荷物は小堺がトランクに入れてくれた。

「では、お願いします」助手席に座ってから小堺は運転手にいい、そのまま六郎のほうに身体を捻《ひね》った。「獅子取から聞いておられると思いますが、これから光島先生のお宅に寄って、先生をピックアップしますので」

「ああ、はい……」六郎は頷《うなず》いた。

車で迎えに来てくれるのはありがたかったが、同乗者のことを聞いて途端に気持ちが暗くなった。よりによって超ベテラン作家の光島悦夫《えつお》と一緒だというのだ。六郎とは親子ほどの、いやそれ以上の年齢差がある。狭い車の中で、一体何を話せばいいのか。

ハイヤーは高級住宅地に入っていき、やがて一軒の邸宅の前で止まった。門の前を見て、六郎はぎくりとした。光島がキャディバッグとスポーツバッグを横に置いて立っていたからだ。その顔は明らかに不機嫌そうだった。

運転手と同時に小堺も助手席から飛び出した。六郎の時と同様に、運転手が後部ドアを開け、小堺は荷物を運ぼうとした。

ところが光島は蠅《はえ》を払うように手を振った。

「遅いよ。何時だと思ってるんだ。これから行ったって、スタートには間に合わない。行ったたって無駄だ」だみ声が朝の路上に響いた。

「いえ、大丈夫だと思います。とりあえずお乗りください。ほかの者に連絡を取ってみますので」小堺がぺこぺこ頭を下げながらいった。

「無理だといってるだろ。三十分遅い。俺はあのゴルフ場には何度も行ってるからわかるんだ。こんな時間に出たんじゃ間に合わん。渋滞に巻き込まれるぞ」

「いや、そこを何とかします。とりあえずお車にどうぞ。お願いします。唐傘さんも乗っておられますし」

名前をいわれ、はっとした。後部座席の右側に座るのは目上の人間だ。六郎はあわてて車を降りた。

小柄の光島が、じろりと睨《にら》んできた。六郎は会釈し、どうぞ、と車内を示した。

光島は、ふんと鼻を鳴らし、「無駄だと思うけどな」といって車に乗り込んだ。小堺がほっとした顔をしている。

ハイヤーが再出発した。誰も言葉を発しない。当然のことながら、車内の空気は重い。小堺が携帯電話で、誰かと話を始めた。移動時間とかハイヤーの手配といった言葉が断片的に聞こえてくる。

小堺が電話を切ったところで、「どうだ?」と光島が訊いた。「やっぱり間に合わないだろう」

「幹事役が時間を読み間違えたみたいですね」

小堺の答えに、光島は大きく舌打ちした。「だろうと思った」

「でも御安心ください。スタート順を入れ替えれば大丈夫です。先生方には、一番最後の組で回っていただくことになりますが」

「本当に大丈夫なのか」

「大丈夫です。任せてください」小堺は大きく頷いた。

だが小堺の後ろ姿から余裕の色が消えるまでに、そう長くはかからなかった。道路がとてつもなく渋滞し始めたからだ。

「そらみろ。だからいったんだ。渋滞に巻き込まれるって。何が任せてください、だ。

全然だめじゃないか」光島がぶっきらぼうにいった。

まずいことになっちゃったなあ、と六郎は思った。大事なコンペなんだから、時間ぐらいきちんと押さえとけよと文句をいいたくなる。だがここで六郎までもが文句をいったら、ますます雰囲気が悪くなるだけだろう。

ちらりと隣の光島を窺《うかが》った。白髪のベテラン作家は、仏頂面《ぶっちょうづら》で窓の外を眺めている。

こんな状態で、あと何時間も乗っていなければならないのかと思うと、気持ちが萎えた。何とか空気を和ませる方法はないものか。

自分から光島に何か話しかけたほうがいいのだろうか。しかし話題がない。それに光島のほうが六郎のことをどう思っているのかがわからない。こんな若造と一緒に乗せやがって、と不快に思っている可能性は大いにある。

光島悦夫という名前を目にしたのは、六郎がまだ中学生の頃だ。実家にあった本棚で見つけたのだ。さほど分厚くない、今でいえばソフトカバーの本が、他の小説と一緒に何冊か突っ込まれていた。

いずれも本の表紙にはイラストが描かれていた。学生らしき男女の姿だ。ただし、現代の若者ではない。古臭い制服を着た、いかにも昭和という感じの青年と娘だった。

それらの本は母親のものだった。訊いてみると、学生時代の愛読書で、ずっと大切にしてきたのだという。

試しにその中の一冊を読んでみた。子供の頃からの幼なじみだった二人の男女が、お互いに対する思いを打ち明けられず、会えば喧嘩《けんか》ばかりしていたところ、高校生になって、それぞれの恋の悩みを聞いているうちに自分の本当の思いに気づくという、どこにでも転がっている物語だった。ただし、仕掛けに工夫がしてあるので、面白く読めたのはたしかだ。母親によれば、この手のものはジュニア小説といって、当時は絶大な人気があったのだという。今でいえばライトノベルのようなものらしい。

だが光島がそういうものを書いていたのは何十年も前だ。今は重厚な人間ドラマを描《えが》くことで知られている。水着グラビア出身の女優が昔の話をされるのを嫌がるように、光島も当時のことには触れてほしくないかもしれない。

道路は依然として混んでいる。高速道路に乗ったのに、ちっとも高速じゃない。時間はどんどん過ぎていく。コースに出るのが初めての六郎でさえ、これでは間に合わないなとわかった。

携帯電話で何やらぼそぼそと話していた小堺が、気まずそうな顔で振り返った。

「ええとですね、向こうに着きましたら、まずはお昼食を摂《と》っていただこうと思います」

「昼飯？」光島が眉間に皺《しわ》を寄せた。

「はい。で、その後、ハーフを楽しんでいただくということで……」

「ハーフ？　こんなに苦労して行って、ハーフだけで帰れっていうのか」

「申し訳ありません。時間の都合がございまして」小堺は深々と頭を下げた。

光島は顔を歪《ゆが》め、前の運転席の背もたれを叩《たた》いた。

「おい、どこかで止めてくれ。俺は降りる」

えっ、と小堺が泣きそうな顔になった。「先生、それはちょっと……」

「何だ。文句あるのか。こんなのは時間の無駄だ。俺は帰る。どこかで降ろしてくれれば一人で帰る」

光島は引き下がりそうになかった。小堺は困り果てた様子で、運転手に、「次の出口で高速を出てください」と小声でいった。

六郎は思わず首をすくめていた。えらいことになったものだ。だが光島が降りてくれれば、とりあえず今の息苦しい状況からは解放される。安堵《あんど》する気持ちが胸に広がった。

しかし、このまま一言も話さないのはまずいのでは、という気もした。光島とは、今後どこでどう関《かか》わってくるかわからない。あの若造、最後まで口をききやがらなかった、とか思われるのはまずい。何とか少しぐらいは良い印象を残しておきたかった。

意を決して、じつは、と切りだした。

「うちの母が光島先生のファンでして、よく読んでいるそうです」

話しかけてきたことが意外だったのか、光島の目が一瞬丸くなった。だがすぐに冷めた目つきに戻り、「ああ、そう」と素っ気なく答えた。

代わりに、「へええ、そうなんですかあ」と乗ってきたのは小堺だ。「どういった作品ですか。最近の光島先生の作品ですと、当社から——」

「やめなさい」光島が、ぴしりといった。「社交辞令に決まってるだろう。本気にしてどうする」

「いえ、そうではなくて本当に母が——」

六郎が弁明しようとしたが、光島は煩わしそうに手を振った。

「いいんだよ、そんな気を遣わなくて。よくあることなんだ。自分が読んでないものだから、家族とか知り合いがファンだといって、こっちの機嫌を取ろうとする。気にしなくていい。君のような若い人が、俺の作品なんか知らなくて当然だ。そんなおべっかを使われるとかえって不愉快だ」

六郎は返答に窮した。そらみろ、とばかりに光島は車窓に目を戻した。小堺も困ったように黙り込んでいる。

六郎は焦った。何とかしなければと思った。やがて、光島のいったことが必ずしも図星ではなかったことに気づいた。自分は光島の作品を読んだことがないわけではない。月と大地の日記――そう呟《つぶや》き、隣を見た。

光島の横顔に変化が生じた。無表情になり、六郎のほうを向いた。「何？」

「そういう題名の作品がありますよね。『月と大地の日記』です。たぶん四、五十年前の作品だと思いますけど」

「……それがどうかしたのか」

「あの小説のアイデアは」唇を舐《な》め、続けた。「すごく面白いと思いました。最初は男の子と女の子の日記だけが交互に書かれていく。そのうちにほかの人間との交換日記とかが混じってくる。全編が日記だけで構成されていて、それぞれの思惑が読者にだけわかって、それがすごいスリリングでした」

「君、読んだのか」

「あの作品だけですけど」正直にいった。「でも家の本棚には、もっとたくさんありました。母が学生時代に読んだそうです」

ああ、と光島は唇を曲げた。

「それでお母さんがファンだといったのか。ジュニア小説のことか。大人の小説じゃなくて」

はい、と六郎は俯《うつむ》いた。やっぱりこのベテラン作家は気分を害したのかもしれない。

息苦しい沈黙が続いた。小堺は前を向いたままだ。

おれはね、と光島が重々しく口を開いた。「ジュニアの帝王といわれてたんだ」

「帝王？」

「そうだ。あの頃はジュニア小説が花盛りだった。飛ぶように売れた。いろいろな作家が競って書いたものだ。夏井や花本《はなもと》だって書いてた」現在では大御所といわれる作家たちのことを光島は呼び捨てにした。「自分でいうのも何だが、その中でも俺の本は断トツに売れた。君のお母さんがどれだけ読んでくれていたかは知らないが、若い女性なら五冊や六冊ぐらいは読んでいて当たり前という感じだった」

「そんなにすごかったんですか」

「ああ、すごかった。昨今の売れっ子作家なんて目じゃない。出版界全体を、俺一人で支えていたようなものだ」そう豪語した後、「大人向けの小説を書くようになってからは、さっぱり売れなくなったけどな」と自嘲気味に笑った。

「母は」六郎は昔のことを思い出しながらいった。「『星空キャンパス』というのが面白いといってました」

光島がしかめっ面をしつつ、口元を緩めた。

「SF仕立てのやつか。柄にもなく、おかしなことをやってしまった。自分としては恥ずかしい作品なんだけどなあ」

「あとそれから、『秘密の教室』もお気に入りだとか」

「秘密の教室……」光島は首を捻ってから苦笑した。「どんな話だったかな。たくさん書きすぎて忘れちゃったよ」

「じゃあ、今度母に訊いておきます」

「ああ、そうしてくれ。お母さんによろしくな」

その時、小堺が振り返った。「光島先生、間もなく出口ですが……」

光島は真顔になって黙り込んだ後、小さく頷いた。

「いいよ、そのまま行ってくれ。たまにはハーフもいいだろう」

「はいっ」小堺が元気よく答えた。

3

ゴルフ場に到着する頃には正午近くになっていた。更衣室で着替えた後、レストランで昼食を摂っていると、午前のラウンドを終えたグループが次々に戻ってきた。

「やあ、光さん、大変だったな」にこやかに光島に声をかけてきたのは、ハードボイルド小説の第一人者、堂山卓治《どうやまたくじ》だ。見事な白髪をオールバックにしている。

ああ参ったよ、と応じる光島の機嫌は、すっかり直っていた。

堂山の後からも、六郎が挨拶するのも躊躇《ちゆうちよ》するような大物作家たちが、光島のところへ声をかけに来た。彼等の代表作を並べるだけで、日本のエンタテインメント小説の歴史を表したことになるだろうと思われた。

六郎のところへ小堺がやってきた。「唐傘さん、ちょっと御相談が」

「何ですか」

「じつは、組み合わせを変更する必要が出てきたんです。唐傘さんには、光島先生とは別の組で回っていただくことになりました」

「あっ、そうなんですか」せっかく光島さんと打ち解けたのに、と六郎は思った。「で、どなたと一緒なんですか」

「はい、あの、深見《ふかみ》先生と玉沢先生です。それから私です」

「えーっ」

思わずのけぞった。どちらも超大物だ。深見明彦《あきひこ》は旅情ミステリで一時代を築いた大家だし、玉沢義正《よしまさ》は警察小説でベストセラーを連発している。

「それ、どうにかなりませんか」

「すみません。決まっちゃったことなんで」小堺は顔の前で手を合わせると、そそくさと立ち去った。

昼食は済んでいなかったが、食欲が完全に失《う》せた。初めてのゴルフというだけでも緊張しているのに、よりによってそんな大物たちと一緒だとは——。

逃げだしたくなった。体調が悪くなったといって帰ることを本気で考え、仮病だとばれた時のことを想像して思い留まった。

緊張のあまり、何度も便所にいった。しかしろくに小便は出ない。

やがて午後のラウンドが始まる時間になった。小堺に連れられて最初のホールに行って待っていると、大物の二人がゆったりとした歩調で現れた。

小堺が二人に六郎を紹介してくれた。どちらも鷹揚《おうよう》に頷いただけだった。デビュー間もない若手なんぞに興味はない、というふうに見えた。

胃が痛くなるような緊張の中、ラウンドが始まった。まず深見、玉沢の順でティーショットを放った。どちらも見事にフェアウェイをキープしている。特に玉沢の飛距離に六郎は度肝を抜かれた。

「少しは遠慮したらどうかね」深見が文句をいい、「いや、結構抑えたつもりですけど」といって玉沢がにやにやした。

次に小堺が打ち、最後が六郎だった。初ゴルフの記念すべき第一打だが、感慨にふけっている余裕などあるわけがない。ティーを地面に刺し、ボールを置こうとしたが、指先が震えてうまくいかない。

ようやくボールをセットし、クラブを構えた。頭の中は真っ白だ。そのままクラブを振り上げ、振り下ろした。びゅんと空気を切る音がしたが、手応《てごた》えはなかった。ボールはティーに載ったままだ。

全身から冷や汗が噴き出した。先輩作家たちのほうを振り返る勇気などなかった。小堺の声が耳に入ったが、何をいってるのか聞き取れない。頭が働かないのだ。

とにかく打たねば、前に飛ばさねば、という思いでいっぱいだった。あわてて構え、あわてて打った。今度は当たった。だが、どこへ行ったのかはわからない。

「ＯＢでーす」女性キャディの冷めた声が聞こえた。

頭に血が上った。ポケットからボールを出し、再びティーに載せる。構えもそこそこに、夢中で振った。

かすかに音がし、ボールが二メートルほど転がった。

4

結局、最初のホールを終了するまでに六郎は十三打も叩いた。それだけでくたくただ。次のホールへ向かう途中、ちらりと前方を見た。深見と玉沢は何事もなかったかのように談笑している。駆け出しの若手作家のことなどは眼中にないようだ。六郎は安堵しつつ、やはり少し惨めでもあった。

その後も六郎は悪戦苦闘することになった。打つたびにクラブを何本も持って走り、グリーン上では自分で自分が嫌になるほど、カップの周りを行ったり来たりした。一応スコアをつけてはいるが、途中からどうでもよくなった。

二人の先輩作家たちのゴルフは安定していた。深見は距離こそ出ないが大きなミスがないので、スコアが崩れない。一方の玉沢は、とにかく飛ばす。そして小技もうまい。プロ顔負けという噂《うわさ》は嘘《うそ》ではないようだった。

ホールを重ねるうちに、六郎の気持ちも少し落ち着いてきた。すると先輩作家たちのやりとりも耳に入るようになった。彼等は小説の話は全くといっていいほどしていなかった。かといってゴルフ談義ばかりではない。その話題は、株、麻雀《マージャン》、葉巻、釣り、と多岐にわたった。もちろん酒や女の話も出た。繰り出されるそれらの話は、適度に知的で、適度に格調高く、そして適度に下品でもあった。

二人のやりとりを見て六郎が抱いた感想は、かっこいいなあ、というものだった。ゴルフクラブをさばきつつ、作家仲間との会話を楽しむ——一流の証《あかし》だなと思った。

その瞬間、不意に六郎は気づいた。自分はこんなところにいられる人間ではない、と。ろくに代表作もない半人前の作家が、大先輩たちと同じ場所でゴルフをしていていいわけがない。どうしてまた獅子取はこんな場に自分を呼んだのか。

これが終わったら当分ゴルフはやめよう、と心に決めた。

それから淡々とボールを打つことだけに気持ちを集中させた。余計なことを考えるのはやめた。すると不思議なもので、スコアがまとまってきた。もちろん初心者にしては、というレベルだったが。

そうしてついにホールアウトとなった。くたびれ果ててクラブハウスに向かっている途中、誰かが隣に並んだ。見ると玉沢だった。お疲れさま、と声をかけてきた。

「あ……お疲れさまです」

玉沢とは、各ホール終了後にスコアを報告する以外、殆《ほとん》ど言葉を交わさなかった。

「かなり疲れたみたいだね」

「疲れました。ゴルフは難しいです」

ははは、と玉沢は楽しそうに笑った。

「誰でも最初はそうだ。俺だって、陸上部員みたいに走り回ってた」

「えっ、そうなんですか」

「君は今日、光島さんと車が同じだったな。だったら帰りに訊くといい。初心者の頃、一緒に回らされた。おい若造、玉は真っ直《ます》ぐ飛ばないくせに、女をくどく時は一直線らしいじゃねえかって冷やかされた」

「へええ」

「だけどさ」玉沢は六郎の腕を肘でつついてきた。「疲れたのはゴルフのせいだけじゃないだろ？　鬱陶《うっとう》しいおやじたちに囲まれて、気が重かったはずだ」

「いえ、そんな……」

「いいんだよ、隠さなくて。それが当然だ。威張られて、むかついた。そうだろ？」

「そんなことないです。お二人を見ていて羨ましかったです。売れっ子の作家が悠然とゴルフを楽しんでいる姿は、すごくかっこよかったです。早く自分もそうなりたいと思いました」

するると玉沢は苦笑して、鼻の上に皺を寄せた。

「それはお人好しすぎるぜ。若いんだから、もっと突っ張っていいんだ。年寄りやオヤジ作家が威張ってるのを見て、ちきしょうって思わなきゃ。獅子取だって、そのために声をかけたんだろうからさ。序ノ口枠で」

「じょ、序ノ口？」

玉沢は、くすくす笑って頷いた。

「相撲《すもう》の序ノ口は、番付の一番下だ。相撲をとっても、客を呼べないし、当然給料だってもらえない。それでも相撲取りとしてやっていけるのは、客を呼んでくれる人気力士がいるからだ。その代表が横綱と大関だ。彼等がいるから、平幕も十両も幕下も食っていける。序ノ口もな。だけど同じ人間がいつまでも君臨できるわけじゃない。彼等が引退したら、次に誰かが横綱や大関を張らなきゃいけない。そうやって相撲界は綿々と伝統を受け継いできた。で、その構図は俺たちの世界でも同じだ」

「俺たちの世界というと……」

「作家の世界だよ」玉沢はいった。「君の場合、初版部数はどれぐらいだ」

突然の質問に六郎はうろたえた。はぐらかす余裕などない。八千部ぐらいです、と正直に答えていた。

「なるほど。ちょっと訊くが、八千部の本を出して、出版社がどれだけ儲《もう》かると思う？」

「それは……」言葉に詰まった。「そんなには儲からないと思います」

「だろうな。それどころか、赤字になる確率が高い。それでも君の本を出してくれるのは、将来性に期待しているからだ。しかし本を出すには金がかかる。その金は誰が稼いでいると思う？」

六郎は黙ったままで首を捻った。今まで考えなかったことだ。

「横綱だよ」玉沢はいった。「それから大関だ。そんなふうに喩《たと》えられるベストセラー作家たちの本を売ることで出版社は利益を上げ、その中の一部を次代を担う若手たちの本を作る資金に回す。相撲界と同じなんだ」

六郎は息を呑《の》んでいた。目から鱗《うろこ》が落ちる、とはまさにこのことだった。たしかにその通りだと思った。

「あっ、それで僕はまだ序ノ口だと……」

「気を悪くするな。俺だってそこからスタートしたんだ。大事なことは、上を目指す気持ちだ。良いものを書いてりゃ勝手に上がっていけるっていうほど、この世界は甘くない。プロなんだから、良いものを書くのは当たり前だ。それプラス、横綱や大関を引きずり下ろしてやろうっていうぐらいの気概が必要なんだ。俺たちなんかに憧《あこが》れるな。憧れたら、そのレベルの作家にしかなれない」

気がつくと、二人とも立ち止まっていた。六郎は直立不動の体勢をとっていた。

「覚えておきます」深々と頭を下げた。

「やめろよ」玉沢は顔をしかめて歩きだした。

クラブハウスに戻って着替えを済ませ、六郎はレストランにいった。末席で小さくなっていると、向かい側に誰かが座った。顔を上げ、愕然《がくぜん》とした。本格ミステリ界の超大物、大川端多門《おおかわばたたもん》だった。玉沢の言葉を借りれば大横綱だ。今日は白いスーツ姿だった。

軽食が出されたので、六郎は俯いたままで食べ始めた。大川端とは目を合わせないようにしていた。

すると、ゾフィーは、というしわがれた声が聞こえた。どきりとした。まさかと思い、六郎は無反応でいた。するともう一度、ゾフィーだが、といわれた。今度は無視できない。

顔を上げた。白い髭《ひげ》をはやした大川端と目が合った。はい、と答えた。声がかすれた。

「ゾフィーがじつは虚無僧ではなかったという仕掛けは、途中で気づいた」

「あ、はい」

全身から冷や汗が出た。六郎のデビュー作、『虚無僧探偵ゾフィー』の話をしているのだ。この超大物作家が。

しかし、と大川端は続けた。「ゾフィーは虚無僧ではないが、虚無僧はゾフィーだというオチには、度肝を抜かれた。完全に騙《だま》された。見事なトリックだ。ああ、すごい若手が出てきたものだと感心した」

六郎は声が出なかった。礼をいいたかったが、感激のあまり身体が固まってしまったのだ。

「だけどね」大川端は、悪戯《いたずら》小僧が何かを企《たくら》んだような顔をした。「次の私の小説は、もっとすごいよ。今度送ってあげるから読みなさい」

六郎はまだ声を出せなかったので、黙ったままで首を何度も縦に振った。そうしながら頭の隅で考えていた。玉沢さんのいう通りだ。この人たちは引きずり下ろされないかぎり、いつまでも横綱の地位にいる気だ——。

がんばろう、と思った。

罪な女

1

五月のある日、作家の熱海圭介は都内の喫茶店にいた。灸英社の担当編集者である小堺と打ち合わせを行うためだった。熱海の傍らには、大きな袋が置いてある。中身は、今度出す本のゲラ——活字にしたものを試し刷りしたものだ。熱海自身による校正が終わったので、確認作業をすることになったのだ。

約束の時刻を三分ほど過ぎた時、入り口から小堺が入ってきた。相変わらず痩せている。

「どうもすみません。待ちました？」さほど悪いとは思っていなさそうな軽い口調で小堺はいった。

「いえ、そんなことないです。僕が早く来ちゃっただけで……」熱海の語尾が消えたのは、小堺の横に立っている女性に目がいったからだった。

年齢は二十代前半だろうか。栗色《くりいろ》の髪をショートカットにしている。顔は小さく、目は大きい。化粧気はないのに、肌は陶器のように滑らかそうだった。

「ええと、先に紹介しておきます。彼女は今度うちの部署に来たカワハラです」小堺がいった。

カワハラです、といって彼女は名刺を出してきた。熱海はあわてて立ち上がり、名刺を受け取った。『灸英社書籍出版部　川原美奈《かわはらみな》』とあった。

「あ、どうも。熱海です」

見とれた。言葉が出ない。編集者にも、こんなにかわいい女性がいるのか。

「とりあえず、座りませんか」小堺がいった。

「あ、そうですね。座りましょう」

熱海が着席すると、彼と向き合うように小堺と川原美奈も腰を下ろした。

ウェイトレスが来たので、小堺たちもコーヒーを注文した。

「じつは彼女にうちに来てもらったのは、私が担当する作家さんが増えすぎちゃったからなんです。しかも皆さん、比較的早いペースで本を出すものですから、私一人ではどうしても手一杯になっちゃうんですよね。それでまあ、何人かの作家さんについては、彼女に担当してもらおうということになりまして」

ははあ、と口を半開きにしながら熱海は川原美奈に視線を移した。彼女は黙って目を伏せていた。睫《まつげ》の長さが強調されている。

その睫がぴくりと動いたかと思うと、不意に彼女は熱海を見つめてきた。目が合った瞬間、彼は身体《からだ》が一気に熱くなるのを感じた。どぎまぎし、わけもなく頭を掻《か》いた。

「ええと、僕に紹介してくださったということは……」熱海は小堺に視線を戻した。

「はい。熱海さんについても、今後は川原に担当してもらおうかと思いまして。いやもちろん、いきなりすべてをシフトするわけではなく、まずは私の補助をしてもらって、それから少しずつ任せていくというふうにしたいと思いますが」

「なるほど」

熱海はコーヒーを飲もうとカップを持ち上げた。その手が少し震えた。心臓の鼓動が激しくなっているからだった。もう一方の手をカップに添え、何とかコーヒーを飲んだ。

二人のコーヒーも運ばれてきた。だがどちらもまだカップには手を出さない。熱海の返答を待っているのだろう。川原美奈が背筋を伸ばして自分を見ているのを、熱海は視界の端に捉えた。

「いかがでしょうか」小堺が尋ねてきた。「何か問題があるようでしたら、改めて検討させていただきますが」

「えっ？　あっ、いや。いやいやいやいや」熱海は激しく手を振っていた。「問題なんて、そんなことは」声が裏返った。「僕はその、担当がどなたでも」

「そうですか」小堺はほっとしたように笑った。「では、一つよろしくお願いいたします」

「よろしくお願いいたします」川原美奈がそういって頭を下げた。

よろしく、と熱海もいった。顔を上げた彼女と、また目が合った。さっきは真剣な顔つきだった彼女は、柔らかい微笑を浮かべていた。

その後、ゲラを挟んでの打ち合わせとなった。校正した内容について熱海が説明し、小堺が聞くという形だが、横で川原美奈もメモを取っていた。

打ち合わせを終えて喫茶店を出た熱海は、軽快な足取りで駅に向かった。頭の中では、別れ際に川原美奈が発した言葉が何度もリピートされている。

「熱海先生の担当をさせていただけることを、すごく光栄に思います。いたらぬところもあると思いますが、どうかよろしくお願いいたします」神妙な表情でそういって頭を下げると、上目遣いに熱海を見つめてきたのだ。

彼女と――。

これから何度も会えるのだ。しばらくは小堺も一緒かもしれないが、やがては二人だけで会うことになるだろう。打ち合わせも、原稿のやりとりも、彼女とやれるのだ。

気がつくと熱海はスキップを始めていた。

2

夢の時間は、熱海が期待したよりもはるかに早く訪れることになった。

川原美奈と会った二日後、電話が鳴ったので出てみると、「熱海先生のおたくでしょうか」と、やや鼻にかかった女性の声が聞こえてきた。

もしや、と思いながら、「そうですが」と答えた。

「お仕事中、申し訳ございません。私、先日御挨拶させていただきました、灸英社書籍出版部の川原です」

心臓がずきゅんと収縮し、一瞬にして顔が火照《ほて》った。

「あー、はい」懸命に落ち着いた声を出した。「あの時はどうも」

「お忙しい中、お時間をいただきましてありがとうございました。今、ちょっとよろしいでしょうか」

「はい、もちろん」いってから、もちろん、は余計だったかなと後悔した。

「じつは上の者と相談しまして、今回の本の装丁を私が任されることになったんです。

それで一度先生と打ち合わせをさせていただけたらと思いまして。先日貴重なお時間をいただいたばかりで、大変申し訳ないと思うんですけど」

「はあはあ、なるほど」

淡白な受け答えとは逆に、熱海の胸は躍り始めていた。こんな素敵なことがあっていいものか――。

いや、と心の声が彼に自粛を促した。はしゃぐのは早すぎる。

ええと、と熱海は落ち着いた声を出した。「で、小堺さんも一緒なんですね」

それが、と美奈の声が少し沈んだ。

「小堺は今、いろいろな仕事に追われておりまして、なかなか身体が空かないようなんです。まずは私一人で伺おうと思っているのですが、それではやはりいけませんでしょうか」

うっひょー。

本格的に胸が躍り出した。熱海自身も受話器を持ったままでステップを踏み始めた。

「あ、そうなんですか。小堺さん、そんなに大変なんだ」しかし平静を装う。

「いかがでしょうか。小堺を同席させろということでしたら、何とか調整しますけど」

いやあ、と熱海はいった。思わず声が大きくなった。

「そういうことなら、小堺さんがいらっしゃらなくても僕は構いませんよ。無理はいいたくないし」

「ありがとうございます。ではいつ頃がよろしいでしょうか」

「いいですよ。僕はいつでも」今日でもいい、といいたかった。

美奈は少し悩む気配を送ってきた後、二日後を提案してきた。そんなに先なのか、と熱海は落胆したが、「もう少し先のほうがいいでしょうか」と彼女はいう。

「いいえ、それでいいです」

待ち合わせ場所と時刻を決め、電話を切った。熱海はガッツポーズをしていた。

それからの二日間は、まるで落ち着かなかった。仕事が手につかないので、街に出ることにした。新しい服を買い、生まれて初めて美容院に行った。今まで、髪を切る時には馴染《なじ》みの理髪店に行っていたのだ。

当日になると、予定よりもはるかに早く家を出た。待ち合わせ場所の近くに到着したのは、約束の時刻より三十分も前だ。書店で時間を潰すことにしたが、立ち読みをしようと思っても気持ちを集中させられない。頻繁に時刻を確認するが、いつもよりも時間の経《た》つのがひどく遅く感じられた。

ようやく約束の時刻の十分前になった。書店を出て、喫茶店に向かった。だが店の手前まで来て、足を止めた。改めて時刻を確認する。約束の時刻より二分早かった。

どうしようかな、と思った。もしかしたら川原美奈はまだ来ていないかもしれない。自分のほうが先に行ったら、いかにも張りきっているようではないか。いや、実際張りきっているのだが、そのことが彼女にばれるのは避けたかった。

少し待とう、と思った。付近を一回りしてから、戻ってくることにした。

ところがそう思って回れ右をした時、反対側から川原美奈がやってくるのが見えた。彼女は腕時計を見ながら、小走りで向かってくる。熱海は足が動かなくなった。

美奈がちらりと彼を見た。一旦《いったん》目をそらせたが、すぐに視線を戻してきた。驚きの表情が浮かんだ。

先生、といって駆け寄ってきた。

「すみません、気がつかなくて。イメチェンされたんですねえ」美奈は熱海の頭を見て、さらに彼の服装にさっと目を走らせ、最後に彼の顔を見つめてきた。

熱海は自分の頭に触れた。「ちょっと気分転換にね。変かな」

いーえー、と彼女は大きくかぶりを振った。「すっごい素敵です。お似合いです」

「そう？　それならよかった」

「でも先生、どちらに行かれるおつもりだったんですか？　お店は、すぐそこですよ」

「えっ？　ああ、わかってる。君の姿が見えたから、待ってたんだ」

「そうでしたか。ありがとうございます」濃紺のスーツ姿の美奈が深々と頭を下げた。

いい子だなあ、と熱海圭介は胸の内側が熱くなるのを感じた。

その熱は、喫茶店に入った後も一向に冷めなかった。むしろ、熱くなっていく一方だ。

「いかがでしょうか。先生の今回の作品ですと、イラストよりも写真を使ったほうがいいんじゃないかと小堺はいっているんです。ただ私は、イラストを一点だけ使ったようなシンプルなデザインもいいような気がするんですけど」眉間にかすかに皺《しわ》を寄せ、美奈はいう。そんなふうに少し悩んだ表情もかわいい。

熱海は周囲の人々の様子を窺《うかが》った。特に、男たちの反応が気になった。美奈のことが目に入っていないはずがない。彼女の美貌を見て、一緒にいる男、つまり熱海のことを妬んでいるに違いないのだ。

傍《はた》からはどう見えるだろう。今日の熱海はカジュアルな服装だ。仕事の打ち合わせをしているとは思わないだろう。すると恋人がデートを楽しんでいるように――。

「どうでしょうか」熱海の妄想を突き破って、美奈が訊《き》いてきた。「やっぱり写真でいくのが無難でしょうか」

「いや、あの、それはどうかな」熱海は唇を舐《な》めた。「無難なことをしてちゃいけないと思う。君がイラストが良いと思うなら、僕もそれを支持する。君に任せる」

この瞬間、美奈の顔がぱっと明るく輝いた。「私が決めていいんでしょうか」

「もちろんだよ」熱海はいった。「何しろほら、僕の担当は君なんだから」

「ありがとうございます」そういった後の美奈の顔を見て、熱海はぎくりとした。

彼女の目から涙がこぼれそうになっていたからだ。

「私、先生の担当になりたかったんです。小堺が何人かの先生を私にシフトすると聞いた時、熱海先生が入っていることを祈りました。もし入ってなかったら、自分からお願いしようかと思っていたほどなんです。私、この仕事がんばります。絶対に良い本にします」

この言葉に、熱海は衝撃を受けた。その衝撃は彼の心を猛烈に揺さぶった。この場で彼女を抱きしめたい衝動を、懸命に抑えていた。

心の揺れは、自宅に帰ってからも続いた。美奈の真摯《しんし》な表情が、熱海の脳裏に焼き付いており、全く消える気配がなかった。

そんな彼の心を、一通のメールがさらに揺さぶった。パソコンのメールをチェックしたところ、美奈からこんな文章が届いていたのだ。

『熱海圭介様

本日は素晴らしいお時間をありがとうございました。
本当に夢のようなひとときでした。
憧《あこが》れの方と一緒にお仕事ができる歓《よろこ》びを、今も噛《か》みしめています。
未熟者ですが、がんばって必ず良い本にしたいと思っています。
どうかよろしくお願いいたします。

川原美奈』

熱海は、このメールを寝るまでの間に三十回以上読んだ。

3

毎日が楽しくなった。生きている歓びを、これほど感じたことなど、今まで一度もなかった。『撃鉄のポエム』で新人賞を獲《と》った時でさえ、ここまで舞い上がった気分にはならなかった。

まさに熱海圭介は幸福の絶頂にいた。

「それでタイトルなんですけど、いろいろやってみたところ、やっぱりゴシックがいいんじゃないかと思うんです」川原美奈がテーブルの上にA４のコピー用紙を何枚か並べた。今度出す本の表紙のデザイン案だ。バタフライ・ナイフのイラストを背景に、『狼《おおかみ》の一人旅』という文字が載っているのは同じだが、字体や配置が微妙に違う。

いつもの喫茶店での打ち合わせだった。今日の美奈はグレーのスーツ姿だ。金色のピアスがよく似合っている。

「いかがでしょうか」美奈が顔を上げた。

「あっ、ええと」ぼんやりと彼女の俯《うつむ》いた顔を眺めていた熱海は、あたふたしてコーヒーをこぼしそうになった。「うん、そうだね。ゴシックでいいんじゃないかな」

「すると、この三点ですけど、どれがいいでしょうか」美奈がコピー用紙を三枚選んだ。

その三点には、A、B、Cの印が付いていた。正直なところどれでもよかったが、

「うーん、Bかなあ」と適当に答えた。

するとと美奈が胸の前で両手の指を組んだ。

「ですよねっ。じつは私もBがいいと思ってたんです」

「あっ、そうなんだ」

「すごーい。先生と好みが一致するなんて」美奈は組んでいた指を離し、今度は小さく手を叩《たた》いた。

熱海は懸命に平静を装っていたが、踊りだしたくなる気分だった。魂が身体から抜け

出し、ふわふわと浮いてしまいそうだった。

「ええと、あのさあ、川原さん」彼はおずおずと切りだした。「その、先生というのはやめてくれないかな」

「あっ……」美奈は途端に真剣な顔に戻り、口元を押さえた。「いけませんでした？」

「いや、いけないとかじゃなくて、照れ臭いんだ。先生って柄じゃないし、ほかの編集者はそんなふうには呼ばないし」

「じゃあ、どのようにお呼びすればいいでしょうか」

「どういうふうでもいいよ。先生以外なら」

「では」美奈は少し考えるように眉根を寄せた。「熱海圭介さん、じゃ長過ぎますよね。熱海さん？　圭介さん？　えー、それじゃ馴れ馴れしいですよねえ」

熱海は、どきりとした。まさか下の名前で呼ばれるとは思わなかった。

「やっぱり、熱海さんですよね。それでいいでしょうか」

「あ、うん。それでいいよ」

本当は「圭介さん」と呼んでほしいが、さすがに口には出せなかった。

「それでは熱海さん、このB案で進めさせていただきます」そういった後、美奈は両手で口元を覆った。「わあ、呼び方を変えただけで、何だかすごく先生と……じゃなくて熱海さんと近い関係になれた感じがしちゃいます」

「えっ、そう？　それならよかった」

「これからも、もっともっと熱海さんのことを知りたいと思いますので、どうぞよろしくお願いいたします」美奈は丁寧に頭を下げた。

「いや、こちらこそ。ところでさあ、川原さん」

はい、と彼女は大きな瞳で、真っ直《まっす》ぐに見つめてきた。熱海は唇を舐めた。

「あの……この後、何か予定あるの。もし何もないなら、食事でもどうかなと思って。いやその、次の作品の打ち合わせをする必要もあるし」

えーっ、と彼女は目を見開いた。

「次の作品のお話を聞かせていただけるんですかあ？」

「うん、まあ、それほど具体的に決まっているわけではないんだけどね。こんな感じでいこうかなという、ぼんやりとしたイメージはあるんだ」実際には何のアイデアもなかったが、とりあえず熱海はそういった。

素敵、と美奈は胸の前で手を合わせた。

「あー、でも残念です。今日はこれからほかの先生のところへ行かなきゃいけないんです」

「あ、そうなの。じゃあ、仕方がないね。いや、別にいいんだ。急ぐわけじゃないし」

深く落胆しているのを隠し、努めて軽い口調でいった。

「本当に残念です。そのお話、次回は必ず伺わせてくださいね」

「うん、そうだね」熱海は、やや引きつった笑みを返した。

4

熱海が美奈を食事に誘った日から、ちょうど二週間が過ぎた。その間、二人は会っていなかった。ただし電話やメールでのやりとりは何度かあった。用件は殆《ほとん》ど新刊本の『狼の一人旅』に関するものだった。帯に印刷するキャッチフレーズを美奈が提案してきて、それについて熱海が自分の考えを述べるといった調子だ。残念ながら、わざわざ会うほどのことではない。美奈のほうは、極力熱海の手を煩わせてはならないと気遣ってくれているようだ。メールや電話からも、そんな気配が伝わってくる。

熱海は悶々《もんもん》とする日々を送っていた。何をする時でも川原美奈のことが頭から離れない。仕事をするつもりでパソコンの前に座っても、真っ先にすることはメールのチェックだ。彼女からのものがないことを確認してがっかりした後は、何とか自分から彼女にメールを出す用件がないものかと考える。「次の作品のアイデアが固まってきたので、今夜食事でもどうですか」というメールを出せれば一番良いのだが、残念ながら肝心のアイデアがまるで浮かばなかった。メールで呼び出すかぎりは、それなりに中身のあるものでないといけない。彼女が喜んでくれるような傑作が必要だ。そこで彼女に会いたい一心で頭を振り絞るが、何も出てこない。出さねばと焦れば焦るほど出ない。

それにしても——。

川原美奈は自分のことをどう思っているのだろう、と熱海圭介は考えた。彼女が自分を見つめる目には、担当する作家に向ける以上のものがある、と彼は感じていた。それに彼女は以前から熱海の担当になりたかったといっていた。彼と過ごした時間を「夢のようなひととき」とメールに書いていた。彼のことを「憧れの方」とも。

どんなに控えめに考えても、美奈が自分に好意を持ってくれているのは確実だとしか熱海には思えなかった。食事を誘った時だって、予定が入っていることが心底残念そうだった。あれが作家の機嫌を取るための芝居だとはとても思えない。何より、彼女がそんな芝居をする理由がない。デビューして数年が経ち、熱海だって自分の立場がわかってきた。芝居をしてまで原稿を取るほど、彼の本は売れないのだ。

今度会ったら、彼女の気持ちをはっきり訊いてみようか。いや、女性の側から思いを打ち明けるのは恥ずかしいだろう。ここは自分のほうから告白したほうがいいかもしれない。だが何といって切りだすか——心は千々《ちぢ》に乱れ、仕事は一向に進まなかった。

そうこうするうちに、美奈に会えるチャンスが訪れた。炎英社主催の文学賞のパーティが開催されるのだ。社員である美奈も、手伝いなどのために当然現れるはずだ。

そのパーティが開かれるのが今日だった。会場は、日比谷《ひびや》にある高級ホテルの宴会場だ。

熱海は一張羅のスーツを着込み、颯爽《さつそう》と乗り込んだ。

会場の前には受付カウンターが設けられていた。熱海も何回か来ているから要領はわかっている。招待状を出し、名前を記すのだ。部外者に紛れ込まれないための用心だ。

受付係の一人が美奈だった。当然、熱海は彼女のところへ行った。こんにちは、と彼のほうから声をかけた。

彼女は、ぱっと顔を明るくした。

「熱海さん、今日はわざわざありがとうございます」

「ちょっと顔を出そうと思ってね。川原さんは、ずっとここにいるの？」

「いえ、もう少ししたら、私も会場に入ろうと思っています」

「そう。僕は右端の奥にいると思うから」

「わかりました。後ほど伺います」

「うん、待ってるよ」

くるりと踵《きびす》を返し、熱海は会場の入り口に向かって歩き始めた。その時だった。「やあ、美奈ちゃん」と親しげに呼ぶ声が後ろから聞こえた。男の声だ。

み、み、美奈ちゃんだと――熱海は振り返った。

ひょろりとした若い男が、美奈に笑いかけた。「珍しいね。今日はスカートなんだ」

「えっ、いけませんかあ」

「そんなことないよ。珍しいなと思っただけだ。よく似合ってるよ」

「ありがとうございます」

「じゃあ、後でね」男は芳名録に名前を記し、会場へと入っていった。熱海には気づかなかったようだ。

あの男は――。

よく知っている人物だった。熱海が獲った新人賞の、翌年の受賞者だ。ペンネームは唐傘ザンゲというふざけたものだ。受賞作は『虚無僧探偵《こむそうたんてい》ゾフィー』という、こちらも真面目《まじめ》に書いたとは思えない代物《しろもの》だった。ところが、このでたらめな作品が売れたのだ。評論家たちが挙《こぞ》って絶賛するのを目にし、熱海は混乱した。彼自身には、その作品の良さが全く理解できなかったからだ。

悩んだ末に導き出した結論は、業界ぐるみのやらせだな、というものだった。出版不況を打破するため、出版界全体で新たなスターを作り出すことにしたわけだ。どういうわけで唐傘が選ばれたのかは不明だが、とにかく彼の作品を褒めまくることで、すごい才能が現れたという印象を世間に植え付けたいのだろう。

馬鹿げた話だと思いつつ、なぜ自分に白羽の矢が立たなかったのかと熱海が妬ましい気分でいるのも事実だった。

あの男も川原美奈が担当しているのか——ただでさえ唐傘のことは心好く思っていなかったのに、ますます嫌悪感が増した。しかも、「美奈ちゃん」だと？　許せないと思った。

会場には大勢の人々が詰めかけていた。熱海は美奈にいったように、右端の奥にあるテーブルの脇に立った。やがて授賞式が始まり、関係者の長ったらしい挨拶が続いた。そして乾杯の発声があり、ようやく歓談となる。

熱海はビールをちびちびと飲んだ。立食形式なのでテーブルに料理が並んでいるが、下手《へた》にこの場を離れたら美奈が見つけられないのではと心配になり、動けないでいた。

だが何気なく視線を遠くに向けたところ、その美奈の姿が目に入った。あろうことか、唐傘と親しげに話しているではないか。

熱海はビールのグラスを置き、人をかきわけて進んだ。唐傘のそばにはほかにも何人か編集者がいるようだが、唐傘は美奈のことしか見ていないようだ。その目には好色な光が満ちているように熱海には思われた。明らかに彼女を狙っている。

身の程知らずが——。

ようやく彼等のいるテーブルに辿《たど》り着いた。美奈は、まだ唐傘と話している。彼女の背後から近づいた。

唐傘の目が熱海のほうに向けられた。あっ、というように口を開いた。

「どうも、御無沙汰しています」唐傘が挨拶してきた。彼の授賞式の時に会っていたので、覚えていたらしい。

「久しぶり」やや胸を張り、鷹揚《おうよう》に答えた。たった一年とはいえ、こちらが先輩だ。

美奈が振り向き、「あっ、熱海さん」と胸の前で手を合わせた。「お二人、お知り合いだったんですね」

まあちょっと、と熱海は答えた。

「美奈ちゃん、熱海さんの担当なんだ」唐傘が訊いた。

「はい。担当させてもらっています」

「彼女、俺の小説のファンだったそうなんだ」熱海は美奈を見つめた後、ゆっくりと視線を後輩作家の顔に移動させていった。

「へえ」唐傘は無表情で答えた。だがその目には嫉妬の色が滲《にじ》み始めたように熱海には映った。「たとえばどういう作品？」唐傘は美奈に訊いた。

「それはもちろん『撃鉄のポエム』です」美奈は両手を握りしめた。「ドラマチックなストーリー展開の中に、たくさんの深いメッセージが込められていて、ユーモアがあって、感動シーンもいっぱいあって、素晴らしい作品だと思いました」

「ふうん、なるほど」唐傘は白けた表情だ。自分が惚《ほ》れている女性がほかの男の小説を褒めるのを聞いて、面白いわけがない。

「今度うちで出す新作も傑作ですよ。『狼の一人旅』っていうんですけど」美奈はさらにいった。

ああ、と唐傘は面白くなさそうに頷《うなず》いた。「その作品のことは、小堺さんから、ちらっと聞いた。書き下ろしだそうだね」

「そうです。正統派ハードボイルドです。唐傘さんのところにも一冊送らせていただきますから、是非、感想を聞かせてくださいね」

唐傘は複雑な表情で頷き、「是非読ませていただきます」と熱海にいった。

「いいんだよ、無理しなくて」熱海は余裕の苦笑いを浮かべた。「ところで川原さん、新作について相談したいことがあるんだ。もう少し静かなところで話せないかな」

「あ、わかりました。では唐傘さん、また御連絡させていただきます」

うん、と唐傘は答えた。その顔には元気がなくなっていた。ざまあみろ、と熱海は思った。今の川原美奈の態度から、自分には勝ち目がないと悟ったのだろう。

このパーティの後、熱海は彼女をどこかに誘うつもりだった。二人きりになったら、そこで思いを打ち明けようと決心していた。場合によってはプロポーズまで——。

5

パーティ会場を出ようとした時、小堺さん、と後ろから呼ばれた。小堺肇《はじめ》は立ち止まり、後ろを振り向いた。若手作家の唐傘ザンゲが足早に近づいてきた。

「何ですか」小堺は訊いた。

「ちょっといいですか。大事なお話が」

「あ、はい」

小堺は少し緊張した。唐傘の顔が深刻そうだったからだ。

会場を出て、人気《ひとけ》の少ない場所まで移動した。ソファがあったので、向き合って座った。「じつはお願いがあるんです」唐傘が思いつめた表情でいった。

「といいますと？」

「川原さんのことなんです」

「あ……はい」小堺は背筋を伸ばした。何をいわれるのか、予想がついた。

「申し訳ないんですけど、担当者をほかの方に替えていただけないでしょうか」

「ははあ」小堺は、ため息をついた。予想通りだった。「彼女、何か不愉快なことでもやらかしましたか」

唐傘は首を振った。

「何もしていません。会えば、ひたすら僕のことを褒めてくれます。僕や僕の作品を」

「それがいけませんか」

唐傘は、うーんと唸《うな》った。

「彼女に僕の作品の感想を訊いても、はっきりいってちっとも参考にならないんです。感動しました、素晴らしい、傑作です——これぱっかりなんです。特にどこがよかったのかと訊くとどこもよかったと答えるし、これまでの僕の作品で一番良いと思うのはどれかと訊くと、優劣はつけられないというし」

「それはたぶん、本当にそう思っているからなんですよ。唐傘さんの作品は、当然私もすべて読んでいますが、たしかにどれも見事な出来だと思いました。川原は書籍出版に来て日が浅いですから、うまく伝えきれないんですよ」

いやあ、と唐傘は首を捻《ひね》った。「そうではないと思います」

「どうしてですか」

だって、といって唐傘は周囲を見回し、声を落として続けた。

「さっき、熱海さんの作品を褒めてました。しかも、『撃鉄のポエム』を」

「どのように、ですか」小堺も思わず声を低くした。答えを聞くのが少し怖い。

「ドラマチックなストーリー展開の中に、たくさんの深いメッセージが込められていて、ユーモアがあって、感動シーンもいっぱいあって、素晴らしい作品――そういってました」

「川原が、ですか」

「そうです」

「『撃鉄のポエム』のことを？」

「はい」

「冗談とかではなく？」

「本人の前でいってました」

小堺は腕組みをした。軽く頭痛がし始めていた。

「ドラマチックなストーリー展開の中に、たくさんの深いメッセージが込められていて、ユーモアがあって、感動シーンもいっぱいあって、素晴らしい作品」唐傘は、もう一度同じことを繰り返した。「僕の新作を読んだ後の感想も、これと全く同じでした」

そうかもしれない、と小堺は思った。彼女が別の作家に同じことをいっているのを、何度か耳にしたことがある。

「それぞれの作品の出来はともかく、僕の作品は本格ミステリで、『撃鉄のポエム』はハードボイルドです。それで感想が同じというのはおかしいんじゃないですか」

「ごもっともです」

「熱海さんの新作についても、傑作だと豪語していましたよ。正統派ハードボイルドだと。小堺さんが、ギャグ小説としてなら辛うじて商品になるといった作品のことを」

小堺は拳で額を叩いた。「参ったな」

「彼女は一体、どういう人なんですか。真面目にやる気があるんですか」

「もちろん、やる気はあると思います。ただ彼女の場合、一生懸命な気持ちが違う形になって現れるようで……」

「どういうことですか」

「じつは彼女は以前、芸能雑誌のほうにいまして」小堺は言い訳した。「芸能人を相手にしていると、とにかく褒めまくることが習性になってしまうみたいなんです」

「へええ」唐傘は呆《あき》れたような顔をした。

「しかもアイドルを担当することも多かったらしく、リアクションが伝染《うつ》ってしまっているみたいなんです」

「それは、たしかにそのようです」唐傘は合点がいったのか大きく頷いた。「とにかく、ああいう人が担当だと、良いものが書けるような気がしないんです。特に僕はまだ駆け出しだから、編集者には作品についての忌憚《きたん》のない意見をいってもらわないと」

　唐傘のいっていることは正論だった。特に若手作家には大事なことだ。

「わかりました。では上にいって、戻してもらうようにします。私が担当ってことでいいでしょうか」

「それでお願いします。何だか我《わ》が儘《まま》をいってるようで心苦しいんですけど」

「いいえ、率直にいってもらってよかったです。じつは何人かの先生からも同じような苦情がありまして。彼女と話していると何だか調子が狂うと……」

「やっぱり」唐傘は得心したようだ。「こういっては何ですが、彼女のいうことをまともに受け取る作家はいないと思います。悪い人だとは思わないんですけどね。誰にでも愛想がいいし。たしかに芸能雑誌なら向いているかもしれない」

「そうなんです。でも事情があって、こっちに異動してきたんです」

「職場結婚されたそうですね」

「御存じでしたか。そうなんです。夫婦になると同じ職場にいられない決まりでして。――ともかく、唐傘さんのことは私が責任を持ってやらせていただきますので、どうか御心配なく」

よろしくお願いします、といって唐傘は去っていった。その後ろ姿を見送った後、小堺は携帯電話を取り出した。担当替えを川原美奈に伝えるためだ。

さて、彼女は今どこで何をしているのかな――ぼんやりと考えながら電話をかけ始めた。

最終候補

1

営業部長から話があるといわれた時、石橋堅一《いしばしけんいち》は少し、というよりかなり嫌な予感がした。部長席ではなく、小会議室に来るよういわれたことも気に掛かった。

部屋にいくと、待っていたのは営業部長だけではなく、人事課長も一緒だった。丸い顔に嘘《うそ》臭い愛想笑いを浮かべる人物だ。

用件を切りだしたのは、その人事課長だった。今度新しい部署を作ったので、そこの所属長をしてほしいというのだった。部署についての説明を聞き、石橋は暗澹《あんたん》たる思いに包まれた。総務部データベース・バックアップ課などというもっともらしい名称だが、要するに古い資料を管理するだけの部署だ。まともな仕事など、おそらくくろくにないだろう。「当面、お一人でやってもらうことになりますが、いずれは何人か課員を配属する予定です」などと人事課長はいうが、そんな気は露ほどもないに違いない。

「君に行かれると私も困るんだがね、総務部から泣きつかれて、承諾することにした」

いつもは般若《はんにゃ》顔の営業部長が、能面のように無表情になっていった。「まあ、これも君にとっては良い経験になるんじゃないかな」

何をいってやがる、と石橋は腹の中で毒づいた。この理不尽な人事異動に、営業部長が関《かか》わっていないわけがなかった。よそから来た新任の部長は、自分が大嫌いだった前部長の子飼いの部下を、職場から一掃したくてたまらないのだ。そしておそらく会社としても、石橋が辞意をいい出すことを望んでいる。これはリストラの一環でもあるのだ。「受けていただけますね」人事課長が薄笑いを浮かべて訊《き》いた。断るなら辞表を出せと顔に書いてあった。

わかりました、と石橋は答えた。四十六歳で妻子持ち、マンションのローンは二十年近く残っている。会社を辞めるわけにはいかなかった。

それから一か月後、石橋は新しい職場に移った。総務部があるフロアの一番端の席だった。驚いたのは、すぐ後ろに喫煙ルームがあることだ。アクリル板で仕切ってあるが、開閉のたびに煙が漂ってくる。だが何より辛《つら》いのは、喫煙ルームにいる人間たちから終始見られているように感じることだ。仕事をしていれば気にならないのかもしれないが、今日は一体何をして時間をつぶそうかと悩む毎日だった。古い資料を眺めたりしているが、仕事をしているふりにほかならなかった。他人の目があるので、仕事に関係のない本を読んだり、ネットを見たりするわけにもいかない。

一週間が過ぎた頃には、石橋は転職を考えるようになった。会社の思惑通りに動くのは悔しかったが、今の状況で何年も過ごすことは到底耐えられないと思ったのだ。

とはいえ、転職は簡単なことではない。余程希少価値のある資格やスキルでも持っていれば話は別だが、そんなものはなかった。会社の帰りに書店に寄り、関連する書物を眺めてみたが、参考になりそうなものは見つからなかった。転職情報誌は、まるで役に立たない。四十六歳という時点で、すべてアウトだ。

いつの間にか小説のコーナーに移動していた。そういえば最近は小説を読んでいない。昔はミステリ小説が大好きだった。若い頃には自分で書いたこともある。

たくさん平積みしてある本があると思ったら、ミステリの代表的な登竜門である炎英新人賞を受賞した作品だった。受賞者である唐傘ザンゲという作家のことは石橋も知っていた。現在のミステリ界で最も期待される若手だといわれている。

気がつくと石橋は、その本を買っていた。帰りの地下鉄の中で読み始めた。作者はアマチュアのはずだが、文章力はなかなかのものだった。いつの間にか読みふけっていた。

帰宅し、夕食を済ませた後、続きを読み始めた。「珍しいわね、どうしたの？」と妻から訊かれたが、「ちょっとな」と答えただけだった。職場を移ったことは、妻にはまだ話していない。

就寝前に読み終えた。石橋はリビングルームのソファに座り、虚空を見つめていた。物語に感動しているわけではない。むしろ、なんだ受賞作といってもこの程度か、という印象だった。

彼の心を占めているのは、本の最後のページに印刷されていたものだ。

それは新人賞の募集要項だった。

2

やはりポイントは主人公の職業を何にするかだな、と石橋は考えた。

ネットなどで調べたところによれば、特殊な職業を扱ったほうが、この賞では評価が上がるようだ。その職業にまつわる蘊蓄《うんちく》などを適度に並べ、社会問題を盛り込んで殺人事件を描けば、受賞にぐっと近づくらしい。

社会問題ということで、老人介護が頭に浮かんだ。そこから介護士という職業を連想した。介護士を主人公にするか。いや、もう少し捻《ひね》ろうか――。

自分の席についたまま、石橋はあれこれと思考を巡らせた。ミステリの新人賞に応募しようと決めた日から、小説のアイデアを練るのが会社での主な仕事となった。本来の業務とは何の関係もないが、彼が何を考えているのかは、ほかの人間にはわからない。良いアイデアが浮かんだ時には、こっそりとメモをとった。

「すごいですねえ、石橋さん。古い特許情報の索引を、そんなに真剣に眺めている人って、なかなかいませんよ」喫煙所から出てきた男が、嫌味な笑みを浮かべながら皮肉ってきた。大方喫煙所で、ほかの人間と石橋の悪口をいい合っていたのだろう。あんな仕打ちをされて、よく会社にしがみついていられるものだ、とか。

だが石橋は不快な思いなどおくびにも出さず、「新しい仕事に慣れようと必死なんだよ」と、にこやかに答えた。相手の男は呆《あき》れたように肩をすくめ、何もいわずに去っていった。今にみてろよ——その背中に向かって呟《つぶや》いた。

帰宅すると、寝室に籠《こも》った。そこに夫婦共用の机が置いてあるからだ。このマンションに引っ越す時、本当は書斎がほしかったのだが、そんな余裕はなかったので、妥協案としてこうなった。机の上には鏡が置かれ、引き出しには化粧品がぎっしりと詰まっている。しかし机がないよりはましだ。

メモを参考にしながら、会社にいる間に考えておいたことをパソコンに打ち込んだ。それを元に、さらにストーリーを練る。小説を書き始めるのは、すべての骨格ができ上がってからと決めていた。プロ作家の中には、先のことを考えずに書き出す者もいるらしいが、素人《しろうと》がそんなことをしてうまくいくわけがない。

　これまでの会社での仕事でも石橋はそうだった。必ずうまくいくと確信できるまでは、決して自分からは動かなかった。基本姿勢は、前例を重視する、だ。革新的なことに挑んで失敗した人間を何人も見ている。この社会の殆《ほとん》どは減点主義で成り立っている。小説だって、おそらく同じだ。最後の最後はアラ探しになるに決まっている。

「最近どうしたの？　毎日、仕事を持ち帰ってるじゃない。会社でしてくればいいのに」夕食時に妻がぼやいた。

「経費節減で管理職の居残りを禁じられてるんだ。仕方がないだろ」

「ふうん。不景気なのに忙しいのね」

「わかってないな。不景気だから忙しいんだ」意味不明の理屈をでっちあげて、その場をしのいだ。

　そんなふうにして二か月が経《た》ち、ついに小説の骨格が完成した。全体の構成から細部の展開にいたるまで、徹底的に練った。登場人物についても、個性がかぶらないよう配慮し、一つ一つの行動が不自然にならないよう気をつけた。強引な展開は徹底的に排除し、リアリティを追求した。数えてみると、あらすじだけで原稿用紙換算で百枚ほどあった。

後は書くだけだ。石橋は応募の締切日までの日数を計算し、無理のない範囲で一日のノルマを決めた。

毎日が楽しかった。会社にいる間に小説の構想を練ることはなくなったが、代わりに思いを巡らせることができた。自分が受賞した時のことを夢想し、今後の人生設計を組み直すのだ。当然、会社は辞める。あの憎らしい上司に辞表を叩《たた》きつける時のことを想像し、ぞくぞくした。周りは驚き、羨望の眼差《まなざ》しで見ることだろう。

家に帰ったら執筆だ。あらすじができているので、書くのは大変ではなかった。土曜も日曜もパソコンに向かっている夫のことを、妻は少し気味悪そうに見ていた。

そして応募の締切を翌週に控えた木曜日、ついに小説は完成した。その週の土曜日、家族全員が留守をしている間にプリントアウトを済ませ、週明けの月曜日、会社の近くの郵便局から出版社に郵送した。

祈るような思いだった。

3

三月のある日、その電話はかかってきた。

石橋は、ぼろぼろになった資料をセロファンテープで修復している最中だった。最近見つけた仕事だ。念入りにやれば、結構時間潰しになる。

携帯電話に表示されているのは、まるで知らない番号だった。気味悪かったが、暇なので出てみることにした。「はい」

「あー、もしもし、石橋堅一さんでしょうか」聞き覚えのない男の声が、やけに軽い口調でいった。

「そうですが」

「突然お電話して申し訳ありません。私、キュウエイシャショセキシュッパンブのコサカイといいます。お世話になっております」

「はあ」相手が早口過ぎて、いっていることの半分も頭に入らない。「あの、すみません。もう一度お願いします」

「失礼しました。キュウエイシャです。出版社の。わかりますか」

「あっ……」ようやくキュウエイシャが灸英社と脳内で変換された。同時に、どきりとした。例の灸英新人賞を主催している会社だ。「は、はい。わかります。はい、どうもすみません」全身から冷や汗が出た。

「このたびは弊社の新人賞への御応募、ありがとうございます」

「あ、はあ……」どう応じていいのかわからなかった。

「今、ちょっとよろしいでしょうか」

「はあ、構いませんが」

「じつは今回の石橋さんの作品について、少し御相談したいことがあるんです。それで、一度どこかでお会いできませんでしょうか。お住まいは東京ですよね。場所を指定していただければ、どこへでも伺いますが」

「相談……というと、どういった内容でしょうか」

応募原稿に何か不備があったのだろうか。不安が胸に広がった。

「それはお会いしてからお話ししたいと思います。いかがでしょうか。お忙しいとは思うのですが」

忙しいなんてことは全くない。それに、こんなことをいわれて気にならない人間はいないだろう。

今日でも構わないというと、「それは助かります」と相手は明るい声を出した。午後六時に、石橋の自宅の最寄り駅にある喫茶店で会うことになった。

待ち合わせの場所で待っていたのは瘦せた小男だった。影が薄く、存在感に乏しい。精力的な人物を想像していたので意外だった。男は改めて小堺と名乗った。

「御作品、拝読させていただきました」挨拶を交わし、コーヒーを注文した後で、小堺は丁寧に頭を下げていった。「オーソドックスな殺人事件を描きつつ、介護問題や振り込め詐欺を扱っていて、隙のない作風だと感じました。予選委員の評判も上々でして、これはあまり大きな声ではいえないのですが」周囲を、さっと見回してから続けた。「おそらく最終候補に残ると思われます」

「えっ」石橋は思わず背筋を伸ばしていた。「本当ですか」

小堺は小さく頷《うなず》いた。

「正式に決定するのは一か月ほど先ですが、まず間違いないと思います」

石橋は喜びのあまり言葉が出なかった。夢ではないのか。テーブルの下でこっそりと太股《ふともも》をつねると痛かった。

「それで御相談というのはですね」小堺が身を乗り出してきた。「題名のことなんです」

「何か問題でしょうか」

「いやその、問題ということではないのですが」小堺は唇を舐《な》めた。「現在の題名は『介護問題殺人事件』ですが、いくら何でもこれはないのではないか、という話になりまして」

「いけませんか」

石橋が訊くと、うーんと小堺は唸《うな》った。

「あまりに直截的《ちょくせつてき》というか捻りがないというか……。題名に殺人事件と付けるのも、二十年前ならともかく、今はあまりうけません。受賞した場合のことを考えると、今から変えておいたほうがいいと思うんです。新聞発表された時と本が刊行された時とで題名が違っていると、読者が混乱しますし」

話を聞いているうちに、石橋は身体《からだ》が熱くなってきた。

小堺の口ぶりから察するに、明らかに彼は石橋の作品が受賞する確率が高いと踏んでいるのだ。そうでなければ、わざわざ会いにくるはずがない。

「いかがでしょうか。急ぎませんから、別の題名を考えていただけないでしょうか」小堺が顔を覗《のぞ》き込んできた。

「わかりました。すぐに考えます。良い題名を考えます」何度も頷きながら石橋は答えた。

4

小堺と会ってから約一か月後、彼の言葉が嘘でなかったことが証明された。石橋の家に灸英社から速達が届いたのだ。封筒の中に入っていたのは、新人賞の候補になったことを知らせる書類だった。土曜日の日中で、幸い石橋が一人でいる時だったので、妻や子供たちに気づかれることもなかった。

石橋は何度もその文面を読み返した。あなたが応募された『謎の介護士』が、第五回灸英新人賞の最終候補となりましたので、お知らせ申し上げます——。

飛び跳ねたい気分だった。小堺はああいったが、そうはうまくいかないのではないかとずっと不安だったのだ。

「何よ、さっきからにやにやして。気味悪いわねえ」夕食時に妻が眉をひそめた。「何か良いことでもあったの？」

「いや、別に。昼間に見たテレビのことを思い出してたんだ」

「何それ。暇ねえ。ほかに考えることないの？」

馬鹿にした口調でいわれたが腹は立たなかった。今にわかる。俺のすごさがわかる日が来る。そう思うと、すべてを許せた。

それは会社にいる時も同じだった。近頃では別の部署の、しかも年下の人間から雑用を頼まれることも増えてきたのだが、快く受けられるようになった。

ふん、今にみてろよ——倉庫の整理をしながら石橋は心の中で毒づいていた。受賞したら、こんな会社はすぐに辞めてやる。ベストセラー作家になってたっぷり稼いで、みんなを見返してやるのだ。

だが浮かれていたのはほんの二、三日だった。冷静になるにつれ、果たして受賞できるだろうか、という不安が常に頭を占拠し、そのこと以外は何も考えられなくなった。石橋は過去の受賞作を改めて読み直し、すべての選評に目を通した。どういうものが受賞し、どういうものが落とされるのか。過去の受賞作と比べて自分の作品はどうか。見劣りしているか、それとも匹敵しているか。

考えても考えても答えは出なかった。だから考えまいとするのだが、いつの間にか、そのことで思考は埋め尽くされていた。

そんな彼に別の発想を与えてくれたのは、ある有名作家のプロフィールだった。そこには、某新人賞で最終候補になったのをきっかけに作家デビュー、と記されていたのだ。目から鱗《うろこ》が落ちるとは、まさにこのことだった。そうなのだ。受賞がデビューの必須条件ではない。考えてみれば、新人賞を獲《と》らないで作家になった人間はいくらでもいる。

問題は、今回の石橋の作品が、そのレベルにあるかどうかだった。そして、そんなふうにデビューした場合のリスクはどんなものか、ということだった。

これぱかりは専門家の意見を聞かないことにはどうにもならなかった。インターネットの掲示板などにその手の内容が書き込まれていたが、どれもこれも根拠の薄い想像ばかりで当てにならない。

悩んだ末、小堺に連絡することにした。前に会った時、名刺を貰《もら》っていたのだ。

連絡はすぐについた。相談したいことがあるというと、小堺は意外そうな声を出しながらも、「わかりました。じゃあスケジュールを調整してみます」といってくれた。

結局、この日の夜に会うことになった。場所は前回と同じ喫茶店だ。

顔を合わせると挨拶もそこそこに、「いかがでしょうか」と石橋は訊いた。

小堺は不思議そうな顔をした。「何がですか」

「ですから……」石橋は口籠った。

彼の内心を察したらしく、小堺は苦笑した。

「選考の行方についておっしゃってるなら、何もわかりませんとしかお答えできません。現在はまだ選考委員の方々が読んでおられる最中ですし、仮に読み終えられている方がいらっしゃったとしても、当日までは意見を聞けませんので」

予想通りの答えだった。「やっぱりそうですか」

「一刻も早く結果を知りたいという気持ちはよくわかりますが、もうしばらくの間、我慢してください」

「はい、それは心得ております。ただ、それとは別に御相談したいことがありまして」

「何でしょうか」

じつは、といって石橋は切り出した。受賞したらもちろんだが、自分としては、仮に受賞しなくても作家としてデビューしたいと考えている。今回の作品で、それは果たして可能だろうか——要約すると、このようになる。

小堺は頷きながらも難しい顔つきになった。

「それはまだ考えることではないです。そういうことは、選考会が終わってからでいいのではないでしょうか」

「はあ……。それはそう思うのですが、仮に落ちたとしても作家になる道があるなら希望が持てると思いまして……すみません」石橋は首をすくめるように頭を下げた。

小堺は少し困った様子で黙っていたが、すぐに表情を和ませた。

「今もいいましたように、まだそういうことを考える段階ではないというのが僕の考えです。ただ事実だけをいうのならば、受賞に至らなかった作品が出版されるということは、これまでにも何度もあります。石橋さんの作品にしても、可能性はゼロではありません」

「そうですかっ」急に視界が開けたような気がした。

　ただし、と小堺は落ち着いた声を出した。

「それを作家デビューと考えるのは非常に危険です。たしかに昔は、それをきっかけに売れた作家もいます。でも、今はそんなことは期待できないと断言します。昨今は受賞作でさえ大きな部数を刷れないんです。落選作となれば、その十分の一がやっとです。宣伝もできません。それでは人の目に触れません。話題になりようがないのです。ですから、どうかそのようなことは考えず、落ちたらまた次に挑戦する、そういう姿勢でお願いします」

　小堺の言葉には切実とさえいえる響きがあった。

「そんなに厳しいんですか。受賞しないとだめってことなんですね」

「残念ながら、それが現実です」

「そうですか……」

　どうやら、落ちてもデビューできるかも、というのは甘い考えだったようだ。石橋は改めて道のりの険しさを認識した。

「ほかに何かお訊きになりたいことはありますか」小堺がいった。

　石橋は、やや躊躇《ためら》いつつも口を開いた。

「じつは、もう一つ確認しておきたいことがあるんです。いや、これもまた、受賞してから考えろといわれるのかもしれませんが」

「どういうことでしょうか」

「以前から知りたかったのですが、新人賞を受賞して作家デビューした場合、その後はどの程度生活を保障してもらえるんでしょうか」

「ほしょう？」小堺の顔に戸惑いの色が浮かんだ。「といいますと……」

「たとえば灸英新人賞を受賞したら、どの程度に仕事を注文していただけるんでしょうか。年に最低長編一本とか短編二本とか、そんなところでしょうか。あとそれから、本を刊行した場合の最低部数や印税も知りたいんですが。ほかに、健康保険や年金はどうなるのかも教えていただけますか」

5

「どうしたの？　何だか顔色が悪いわよ」帰宅するなり妻にいわれた。

何でもない、といって寝室に向かった。上着を脱ぎ、ベッドに横になった。

一時間ほど前の小堺とのやりとりを思い出した。保障についての石橋の質問に対する小堺の回答は明快だった。

そんなものは一切ない、というのだった。

「こちらでお約束できるのは、受賞作を本にして刊行する。ただそれだけです。その作品が注目されれば他社から注文が来るでしょうし、弊社から執筆を依頼させていただくこともあると思います。でもそれ以外のことは、何ひとつ保障はできかねます」

するとデビューしたはいいが、全く仕事がないこともありうるのか。小堺の答えはイエスだった。

「そういうケースは珍しくありません。受賞作一本だけで消えてしまうということが。人々の記憶に残ってないから目立ちませんけどね。デビュー直後から執筆依頼がじゃんじゃん来るという人のほうが稀《まれ》です。うちでいえば唐傘ザンゲさんぐらいです」

しかし受賞を機に、それまでの仕事を辞めて専業作家になった者も多いではないか。そのことをいうと小堺は、それは賭けです、と答えた。

「なんだかんだいっても、二足のわらじは大変ですからね。勝負に出ようという気持はわかります。だけどやっぱり冒険です。会社勤めをしながら、何年かに一度、趣味のつもりで本を出すというのが無難ではないでしょうか」小堺は宥《なだ》めるような口調でいった。石橋が受賞したら会社を辞めるつもりなのを見抜いたのかもしれない。

たしかにそれほど保障のない世界だとすれば、飛び込んでいくのは無謀かもしれない。

賞金とデビュー作の印税でしばらくは食べていけるかもしれないが、仕事がなければ、たちまち蓄えは尽きてしまうだろう。

会社勤めをしながら書けばいいと小堺はいったが、事実上、それは不可能だった。石橋の会社ではアルバイトが禁止されている。景気が良かった頃はそのルールが厳格に適用されることはなく、社外での音楽活動なども暗黙の了解で認められていたが、不景気の今は違う。会社は何だかんだ理由を付けてはリストラを進めようとしている。だから今回の応募ではペンネームを使った。応募したことがわかっただけでもまずいからだ。だがもし本格的にデビューすれば、いずれは会社にばれるだろう。そうなると間違いなく解雇される。

どうすればいいのか。仮に受賞したとしても、作家になるのは諦めるべきなのか。

妻の呼ぶ声が聞こえた。食事らしい。石橋は、のろのろと起き上がった。

食卓についたが、まるで食欲はわかなかった。

「何、ぼんやりしてるの？　食べないの？」妻が不審そうな顔をした。

いや、といって箸を手にする。料理を口に入れたが、味などわからない。

妻に話してみようか、と思った。作家になりたいのだが、と。新人賞の最終候補になっていることを話せば、単なる夢想だとは思わないだろう。案外、「やりたいことがあるならやってみれば？」と背中を押してくれそうな気もする。

じつは、と切りだした。だがテレビの音が大きくて、妻の耳には届かなかったようだ。妻も中学生の娘も、食事をしながらテレビに目を向けている。

画面には、ラーメンを作っている男性の姿が映っていた。作っては味見をし、首を捻っている。

「うわあ、悲惨ねえ」妻が顔をしかめている。

「何なんだ。このラーメン屋がどうかしたのか」石橋は訊いた。

「ふつうのラーメン屋じゃないの。この人、元は銀行マンだったんだって。でもどうしてもラーメン屋をしたくて銀行を辞めたそうよ。ところがいざお店を始めても全然お客さんが来ないものだから、いろんな人からアドバイスを貰って、あれこれチャレンジしてるみたい。だけど、やっぱりだめなのよね」妻は眉をひそめつつ、唇に意地悪そうな笑みを浮かべていった。

「馬鹿だよね。銀行マンを続けてればいいのに」娘もいった。「ラーメン屋なんていっぱいあるから、そう簡単にはうまくいかないよねえ」

「ところがそういうことに気づかず、無茶をしちゃう人っているのよねえ。こういう人がいると周りが迷惑するわけ。特に奥さんがかわいそう。同情しちゃうなあ」他人事《ひとごと》だと思っているせいか、妻の口調は軽かった。

だめだこりゃ、と石橋は俯《うつむ》いた。ラーメン屋でこうなら、作家になりたいなどといったらどんな反応が返ってくるか、想像するのも恐ろしかった。

6

総務部長の言葉を聞き、石橋は自分の耳を疑った。言葉も出なかった。

「何だ。何か文句があるのか」総務部長は仏頂面《ぶっちょうづら》で見上げてきた。「わかっていると思うが、我が社は今、大変な状況にあるんだ。削れるところは削っていかなきゃならんということは、君にだってわかるだろう」

「それはわかりますが……」声がかすれた。

信じがたい話だった。石橋が命じられた新たな仕事はオフィスクリーニング、つまり事務所の掃除だった。これまでは業者に任せていたが、経費節減のために社員自身にやらせてはどうかという話が役員から出てきたらしい。そこでとりあえずテストとして総務部で実施することになったというのだ。

つまり石橋は一人で、総務部のフロアのすべてを掃除しなければいけないわけだ。しかもそれを始業時刻前に済ませておけとのことだった。

「嫌だというなら、断ってくれてもかまわんぞ」総務部長はいった。「その場合は業務命令違反ということになるだけだ」

馘首《かくしゅ》するだけだ、といいたいのだろう。石橋は、いえ、と小声で答えた。

席に戻ったが、頭の中が真っ白で、何も考えられなかった。無論、ろくに仕事がないので、特に支障はないが。

冷静さを取り戻すと、一つの考えが改めて浮かび上がってきた。

こんな会社、辞めてしまおう。辞めて、作家になるのだ。新人賞を受賞したら、すぐにでも辞表を叩きつけてやろう。それがいい。それしかない。小堺はああいったが、専業作家を目指した者全員が失敗しているわけではない。成功者だって、たくさんいるではないか。自分は、その中に入るのだ。

今夜こそ妻に話そう、作家になりたいと打ち明けよう――固く心に決めて石橋は会社を後にした。

だが家で待ち受けていたのは、その妻からの相談事だった。

「今日、いろいろと調べてきたんだけど、やっぱり英会話スクールに通わせたほうがいいみたい。でも高校に上がったら授業料も高くなるし、どうしようかと思ってるわけ。

ねえ、お給料が上がる見込みってないの？」家計簿を眺めながら訊いてきた。

石橋は目の前が暗くなった。給料が上がるどころか、給料そのものがなくなりそうだ、なんてことをいったら、妻は発狂するに違いなかった。「ねえ、どうなの？」妻はしつこく訊いてくる。

じつは、と石橋はいった。

「今度から、一時間ほど早く出勤することになった。その分、時間外手当てが出ると思う」

「本当？　だったらすごく助かる」

妻が目を輝かせるのを見て、石橋は胸に鈍い痛みを感じた。

事務所の清掃を始めるようになると、職場での立場は一層低くなった。誰もが石橋のことを掃除係としか見なくなっていた。中には、「トイレットペーパー、きれてるよ」と、ぞんざいな口調でいう者まで出てきた。

怒りを嚙《か》み殺すたび、一つの思いが胸の中で膨らんだ。

ああ、こんな会社辞めてしまいたい。

専業作家になって、こいつら全員を見返してやりたい。

しかし帰宅して妻や娘の顔を見ると、どうしても切りだせなかった。彼女たちは今の生活が永遠に続くと信じている。毎月給料が貰え、夏と冬にはボーナスが入るというのは、この先も揺るがないことだと思い込んでいる。

何といえばいいか。ショックを与えないで済ませる方法はないものか。

自信を示せばいいのではないか、という気がした。作家としてやっていく自信があると明言すれば、少しは不安が薄らぐのではないか。だがその根拠を求められたらどうすればいいのか。新人賞を受賞したというだけでは弱いだろう。

「お父さん、どうしたの？　怖い顔して」食事中、娘が石橋を見ていった。

「あ、いや、別に何でもない」石橋は目をそらした。

「このところずっと変よ。会社で何かあったの？」妻が怪しむ顔をした。

「何でもないといってるだろ。ちょっとぼんやり――」してただけだ、といおうとした時、腹に激痛が走った。石橋は顔をしかめ、椅子から下りて蹲《うずくま》った。

病院に行くと、「神経性胃炎ですね」と医者にいわれた。「何か悩み事でもあるんじゃないですか。それを解消するのが先決です」

石橋は黙って頷いた。それができれば苦労はしない。

会社でひどい仕打ちを受けるたび、もうこんなところはさっさと辞めて作家になろうと心を決める。だがそれを家族たちには打ち明けられない。そんなもどかしい毎日が続いていた。神経がおかしくなりそうだった。

そして、ついに運命の日がやってきた。灸英新人賞の発表の日だ。

石橋は朝から落ち着かなかった。受賞したら、いくら何でも妻や娘には隠し続けていられないだろう。今夜こそは二人に話そうと決めていた。

何事もなく、一日が終わりそうだった。ところが終業時刻直前になって総務部長から呼ばれた。何だろう、こんな時に。今度は何をいいだす気だ。

「掃除には慣れたかね」石橋の顔を見るなり、総務部長は訊いてきた。

ええまあ、と曖昧に答える。慣れたのは事実だった。

そうか、と部長は頷いた。

「君の仕事ぶりには大変満足している。大幅なコストダウンになったからな。そこでだ。次は社内すべての清掃を担当する部署を作ろうということになった」

「えっ」

「名付けて、総務部オフィスクリーニング課だ。もちろん課長は君だ。引き受けてくれるだろうな」

石橋は総務部長の顔を睨《にら》んだ。右手を固く握りしめた。

7

「あら、どうしたの、それ」妻が石橋の右手を見ていった。包帯を巻いているからだろう。

「あ……転んで怪我《けが》したものだから、薬局で応急手当をしてもらった」

「何よ、鈍臭いわねえ。一体どこで転んだの？」

「駅の階段だ」

「へえ」妻は関心をなくしたようだ。

石橋はリビングを見た。娘はソファに座って、携帯電話をいじっている。

深呼吸を一つした。妻はキッチンでコンロに向かっている。

「二人とも」大きな声を出した。「今、ちょっといいか」

妻と娘は動きを止め、同時に彼を見た。

「大事な話があるんだ」彼はいった。「とても大事な話だ」

妻の顔に不安と困惑の色が滲《にじ》んだ。娘の顔には、それらのほかに好奇の気配が混じっている。

会社を辞めることにした——そういったら二人の表情は、どのように変わるのだろうか。無反応？　そんなことはあり得ない。喜ぶ？　それも考えにくかった。怒るか。その可能性は高い。そして次には泣くだろう。

「どうしたの？」娘が訝《いぶか》しんだ。「話があるなら、早くいってほしいんだけど」

石橋は息を吸った。「会社を」

その時だった。上着の内側で彼の携帯電話が鳴りだした。取り出し、電話に出た。

「もしもし、石橋さんですか。灸英社の小堺です」

「あっ……は、はい」心臓が跳ねた。そうだ、今夜だった。大事なことを忘れていた。

「つい先程、選考会が終わりました」小堺はひと呼吸置いてから続けた。「残念ながら、今回は受賞には至りませんでした」

「あ……」

「惜しかったです。欠点が少ないということは、皆さん評価しておられました。手堅く、危なげない書き方で、安定感も抜群だといわれました」

「……それなのにだめなんですか」震える声で訊いた。

小堺がため息をつくのが聞こえた。

「模範解答を読むようだ、というのが全員の一致した意見でした。文章は教本通り。構成は基本通り。すべてが定型から一歩も出ておらず、新奇性も実験精神も感じられない。この作者は冒険のできない性格ではないか、とまでいわれました。そういう性格の人間は作家には向いていない、とも」

石橋は黙り込んだ。返す言葉がなかった。

また連絡します、といって小堺は電話を切った。

石橋は椅子に座り込んだ。全身から力が抜けていくようだった。

「何よ。どういうこと？　今の電話は誰から？」妻が矢継ぎ早に訊いてきた。

石橋は首を振った。「何でもない」

「でも……」

石橋の頭の中で、様々な思いがぐるぐると回っていた。洗濯機の中の衣類のようだった。その中には作家になった自分を夢想したものもあった。その夢想は急速に色褪《いろあ》せていった。

やがて彼は立ち上がった。妻と娘の顔を交互に見た。

「じつは今度、異動になる。オフィスクリーニング課という部署だ」

「オフィスクリーニング？　それってもしかしたら……」妻の顔が青くなった。

「仕事の内容は関係ない」彼は強くいいきった。「どこに行っても仕事は仕事だ。与えられたことを、俺はただ一生懸命にやる。それだけだ」

石橋の宣言を、妻と娘は当惑した表情で聞いていた。どちらも無言だったが、やがて安心したような笑みが唇に浮かんできた。

石橋は椅子に座り直し、包帯を巻いた右手を擦《こす》った。会社からの帰り、怒りに任せて壁を殴り、拳を傷めたのだ。だが殴ったのが壁でよかった。

そして、と携帯電話を見つめながら思った。

受賞しなくてよかった、これでもう何も迷わなくていい——。

小説誌

1

「職場見学？」青山は上司の顔を見て、聞き直した。「どういうことですか」

「いやあ、そう大したことではないんだ」神田《かんだ》は少しばつが悪そうに頭を掻《か》いた。「うちの次男がさ、中学生なんだけど、何か面倒臭いことを学校で引き受けてきたみたいで」

「お父さんの職場を見学させるって約束したんですか」

「うーん、どうやらそういうことらしいんだ。クラスがいくつかのグループに分かれて、誰かの親の職場を訪問するんだってさ。うちの息子が、父親は出版社に勤めてると口を滑らせたら、みんなが興味を持ったっていうんだ」

「で、神田さんはオーケーしたんですか」

うーん、と神田は再び唸《うな》った。

「俺としては断りたかったんだけど、うまい言い訳が思いつかなくてさ。息子は友達に約束しちゃったっていうし」

　ははあ、と青山は曖昧に頷《うなず》く。「で、僕にどうしろと？」

「だからさあ」神田は青山の肩に手を載せてきた。「案内役が必要なわけだよ。編集部内を勝手に動き回られても困るだろ？　それで君に頼みたいわけ。いいよね」

　えー、と思わず顔をしかめた。「いつですか」

「それが、今日なんだ」

　えー、とさらに顔面を歪《ゆが》める。「赤村先生の取材の手配をしなきゃいけないんですけど」

「急ぎってわけじゃないだろ。どうしてもってことなら、それはほかの者に代わってもらえばいい。ひとつ頼むよ」神田は顔の前で両手を合わせた。

　青山はため息をつき、頭を掻きむしった。神田には日頃から世話になっている。断りきれなかった。

「わかりました。何とかやってみます」

「助かった」神田は心の底から安堵《あんど》したような声を出した。

　青山は自分の席に戻った。パソコンを立ち上げ、メールのチェックなどをするが、どうにも落ち着かない。中学生たちには、どんなふうに仕事のことを説明すればいいだろう。

彼の職場は『小説灸英』編集部だった。『小説灸英』とは、灸英社が発行している小説誌の名称だ。青山は単行本の部署にいたのだが、少し前に異動になったのだった。

単行本を作るのと、小説誌を作るのとでは、仕事内容が大きく変わる。単行本は一人の作家の原稿だけで成立するが、小説誌は複数の作家の原稿を集めなければならない。しかも内容は小説だけではない。エッセイや対談、インタビュー記事など、多岐に亘《わた》る。グラビアだってあるし、マンガもある。小説には挿絵を入れなければならない。やるべきことは山のようにあるのだ。とても一人では無理で、チームワークが必要になってくる。新参者の青山は、まだ仕事に慣れるので精一杯だった。そんな自分に中学生の相手などできるのだろうかと不安になったが、考えてみれば、ほかの先輩社員たちは皆、青山よりもはるかにたくさんの仕事を抱えている。現実的に考えても、彼が引き受けるしかないのだ。

午前十一時を少し過ぎた頃、肩をぽんと叩《たた》かれた。神田だった。

「来たそうだ。行こう」

はい、と答えて青山は立ち上がった。

受付のある正面玄関まで降りていった。すると制服姿の子供たちがいた。男子が三人で、女子が二人だ。全員が青山たちを見て頭を下げた。なかなか礼儀正しい。

神田が一人の少年に歩み寄り、何事か囁《ささや》いている。どうやら息子らしい。よく見ると、どことなく似ている。

その後、神田はほかの子供たちに愛想笑いを向けた。

「皆さん、遠いところをお疲れ様です。私は『小説炎英』編集部で編集長をしている神田です。今日はどうぞ、ゆっくり見学していってください。彼は案内役の青山君です。わからないことがあれば、何でも彼に訊《き》いてください」早口で一気にしゃべった後、「では青山君、後は任せたからね」と続けた。「俺は、これから役員の部屋に行かなきゃいけないんで」

「あ、はい」

青山が答えると、神田はそそくさとエレベータホールに向かった。その後ろ姿を見送った後、青山は改めて中学生たちと対峙《たいじ》した。全員が、子供っぽさの残る顔に緊張の色を浮かべている。

「では、行きましょう」

青山が歩きだすと、中学生たちもぞろぞろとついてきた。

エレベータに乗り、編集部のあるフロアに向かった。中学生たちはお揃《そろ》いの手提げ鞄《かばん》を持っていた。一人の鞄に『小説灸英』が入っているのがちらりと見えた。下調べをしてきているようだ。真面目《まじめ》なんだな、と感心した。

エレベータを降り、青山は文芸局のフロアに彼等を案内した。単行本を作っている部署も文庫本を作っている部署も、すべてここにある。机やキャビネットがずらりと並んでいるが、乱雑なことこの上ない。床にまで本が積み上げられていたりする。その汚さには中学生たちも驚いたらしく、ただ目を丸くしている。

「みんな忙しいからね、整理整頓している余裕がないんだ」青山は言い訳した。

中学生たちを、『小説灸英』編集部のエリアに連れていった。神田の姿はない。三人の編集部員が机に向かっていた。中学生たちが見学に来ることは、彼等も知っているはずだ。興味がないのか、青山たちのほうには見向きもしない。

会議机が空いていたので、パイプ椅子に座るよう中学生たちにいった。青山と向き合うように男子三人が座り、彼を挟んで二人の女子が座った。

「さて……と」青山は唇を舐《な》めた。「まずはどういうところから話せばいいかな。どんなことが知りたい？」

すると眼鏡《めがね》をかけた男子が、「あの」といって手を上げた。

「何？」青山は訊いた。

眼鏡少年は鞄の中から『小説灸英』を出してきた。するとそれを合図のように、全員が出してきて、机の上に置いた。

「へえ、みんな買ってくれたんだ。嬉《うれ》しいねえ」

青山がいうと、皆の顔に困惑の色が浮かんだ。違うんです、といったのは神田の息子だ。

「見学が決まった後、僕が父にいって、五冊用意してもらったんです。余ってるって聞いたから」

「あ……そうか。そりゃそうだよね。買うわけないよね」

「中学生に九百円は、はっきりいって高いです」眼鏡少年がいった。「そんなに高いものをただで貰《もら》えて、すごく嬉しかったです。だから無駄にしちゃいけないと思って、がんばって読もうと思いました」

うんうん、と青山は頷いた。良い子たちじゃないか。

「あまり聞いたことのない作家さんの短編小説やエッセイが載っていたりして少し戸惑いましたけど、どれも結構面白くて楽しめました。世の中には、いろいろな作家さんがいるんだなと勉強になりました」

「そういってもらえると作ってるほうとしても嬉しいよ」心の底からそういった。

でも、と眼鏡少年が青山を見つめてきた。レンズが光ったような気がした。

「それ以外は読めるところが殆《ほとん》どありませんでした。連載中の長編小説がたくさん載ってますけど、途中からだと何が何だかわからないので、結局読むのをやめてしまいました」

「ああ……」青山は口を半開きにした。「それは、そうかもしれないね」

「でも不思議なんです。こんなに高いお金を出したのに……僕たちは出してないけど、高いお金を出して買った人は、こんなに読むところが少なくてもいいのかなって」

「いや、それは」仕方のないこと、といおうとして青山は言葉を呑《の》み込んだ。禁句を漏らしてはならない。

「僕たちが今日一番知りたいこと。それは――」眼鏡少年が『小説灸英』を手に取り、表紙を青山のほうに向けた。「この本は売れてるのかってことです。教えてください。この本を売って、本当に出版社は儲《もう》かってるんですか」

2

たまたまフロア内全体が静まり返っている時の発言だった。

いや、たまたまではないのかもしれない。このフロアにいる者たちは、先程からのやりとりを耳をすませて聞いていたのではないか。特に『小説灸英』編集部の人間たちは。いずれにせよ眼鏡少年の質問は、静寂に包まれた空間内で広く響き渡った。しばらくの間、反響していたように感じられたほどだ。

青山は、『小説灸英』編集部の先輩部員たちを見た。今の発言が聞こえていないわけはなかったが、彼等はじっと机に向かい、パソコンやゲラなどを睨《にら》んでいるだけだった。その背中は、おまえが何とかしろよ、と青山を突き放すように語っていた。

「いや、あの、ええとだね」青山はハンカチを出し、額に滲《にじ》んだ汗をぬぐった。「読むところがないなんてことはないよ。連載小説を楽しみにしている人も多いわけで」

「そうなんですか」眼鏡少年は疑わしそうな顔をする。

「そりゃそうだよ。でなきゃ、載せないよ」

「でもお」青山の右隣の女子が口を開いた。「その人たちはいつから買ってるんですか。これ見るとお、連載三回目とか十回目とか二十三回目とか、全部ばらばらですよね。てことわあ、いつ買ったとしても、大抵の作品は連載の途中だったんじゃないですか」

「いや、それはまあそうなんだけど」口の中が渇いてきた。「途中からだと絶対にだめってこともないんじゃないかな。だってほら、君たちだってマンガ雑誌は読むでしょ。

うちの社が出してる『少年パンク』とか。あそこに載ってるのは、殆どが連載だよ。だけどみんな、途中からでも読んでるでしょ」

「マンガ雑誌の連載は違うと思います」きっぱりといいきったのは、この中では一番小柄な少年だった。「ここへ来る前に、自分なりに分析してみたんです」

「ぶぶ、分析？」

「マンガ雑誌の連載は、多くは一話完結の読み切りになっています。そうでない作品も、途中から読み始めた人が続きを読みたくなる、あるいは、これまでの経緯を知りたくなるよう工夫がなされています。でも『小説灸英』に連載されている小説には、そういう工夫が全く感じられません。一応、前号までのあらすじというものが載せられていますが、本気で内容を伝えようとしているようには思えませんでした」

「はあ……すみません」手厳しい意見に、青山は思わず首をすくめた。

「青山さん、教えてください」深刻そうな声でいったのは神田の次男だ。「『小説灸英』は、どれぐらい売れて、いくらぐらい儲かっているんですか。そもそも黒字なんですか」

根源的な質問に、青山は黙り込んだ。神田が案内役を押しつけてきた理由がわかった。息子から話を聞き、中学生たちがどんなことを質問する気なのか、薄々感づいていたのだ。

逃げだしたかったが、そんなことは不可能だった。中学生たちは青山の答えをじっと待っている。

腹をくくった。ごまかすのは無理だ。深呼吸をし、唇を開いた。

「たしかに連載小説を読んでいる人は少ないと思う。正直なところ、『小説灸英』だけでいえば赤字だ」

やっぱり、という空気が流れた。神田の息子の肩が、がくんと落ちるのがわかった。父親の職場がそんな部署だと知り、ショックを受けたのだろうか。

「でも決して利益を生んでないわけじゃない」青山はいった。「連載が終われば、その小説は単行本として出版される。その本は、まず間違いなく黒字を出せる。そういう作家だから連載を依頼するんだ。『小説灸英』だけでいえば赤字だけど、全体で見れば、ちゃんと儲けが出ることになっているんだ」

包み隠さずに話したつもりだった。だから中学生たちも納得してくれるだろうと思った。だが彼等の釈然としない表情に変わりはなかった。やがて彼等は顔を見合わせて頷いた。またしても眼鏡少年が皆を代表するように唇を動かした。

「僕たちも、もしかしたらそういうことじゃないかと話し合ってはいたんです。そうでないと会社として採算がとれませんから。でも、それでもやっぱりわかりません」

「何が？」

だから、といって眼鏡少年は息を吸った。

「連載小説を載せる意味です。読んでいる人が少ないことはわかっているわけでしょう？　それなのに、なぜ載せるんですか」

青山は思わず眉をひそめた。

「僕の話を聞いてなかったのかい。長編小説を連載で載せて——」

「連載が終わったら単行本にする。それはわかりましたが、連載にする必要性がわかりません。なぜすぐに単行本にしないのですか」

この質問を聞き、ようやく青山は余裕を取り戻した。初歩的な質問だ。

「そういうケースも多いよ。むしろ、そっちのほうが多い。新人作家や、まだあまり売れてない作家の場合は、原稿をすぐに単行本にする。そういうやり方を、書き下ろしというんだ」

「聞いたことがあります。なぜ、全部そうしないんですか」

「そうしたいのはやまやまだよ。でも売れっ子作家だと、そういうわけにはいかない」

「どうしてですか」

「だって小説誌とかに連載すれば、原稿料が入ってくるじゃないか。書き下ろしじゃ入らない。作家としては、入ってくるお金は少ないよりも多いほうがいい。連載の仕事を優先するのは当然のことだ」

「でもお」右隣の女子が口を挟んできた。「その連載小説って、誰も読んでないわけですよね」

「誰もってことはないと思うけど……」

「だけど商品としては成立していないものですよね」小柄な少年がいった。「少なくとも、その時点では利潤を生み出すものじゃない。それなのに原稿料を払うわけですか」

「そりゃそうだよ。書いてもらったものを掲載しているわけだから」

「質問」青山の耳元で声が聞こえた。左隣の女子が手を上げていた。背の高い、少し大人びた雰囲気のある女子だ。「作家の人はどう思ってるんですか」

「どうって？」

「連載小説なんか読まれないとわかっていて書いているんですか。もしそうなら、やる気が出ないように思うんですけど」

「いやあ、それは」青山は首を捻《ひね》った。いつの間にか、また余裕をなくしていた。「それはどうかなあ。連載中は読まれないかもしれないけど、単行本になったら読まれるわけだから、やる気が出ないってことはないと思うよ」

「連載小説を単行本にする時、書き直さないんですか」

「いや、書き直す人は多いね。全く書き直さないっていう人のほうが稀《まれ》じゃないかな」

「原稿料って、原稿の枚数によって決まるんですよね」

「そうだよ。金額は作家によって違う。四百字詰めの原稿用紙に換算して計算するんだ」

だったら、と大人びた女子中学生はいった。

「連載中は適当に無駄なことをだらだら書いて、単行本にする時、直すっていう手も使えますよね。あたしなら、絶対にそうします」

つまり、と眼鏡少年が続けた。「原稿料泥棒だ」

3

編集部の空気は凍り付いたままだった。誰もこちらを見ていなかったが、誰もが耳をすませていることは疑いようがなかった。

何とかしろ、そのガキ共を黙らせろ——全員が青山に無言のプレッシャーをかけてきているようだった。

「いや、いやいやいや」青山は顔の前で手を横に振った。「そういうことも、そりゃできないことはないけど、そんな作家はいないよ。誰もそんなことはしない」

「そうでしょうか」女子中学生は納得していない様子だ。

「だって、そんなことをしたら、後で自分が苦労するだけじゃないか。書き直さなきゃいけないわけだから」

「後で苦労しない程度に手を抜くことってできるんじゃないですか。プロなら、それぐらいのことは簡単だと思うんです」

ぐっと言葉に詰まった。反論の余地がない。

「そんなふうにして原稿料を取られて、悔しくないんですか」女子中学生が畳み掛けるように質問してくる。小憎らしい顔を引《ひ》っ叩《ぱた》きたくなった。

青山は、とりあえず咳払《せきばら》いをした。何とかして体勢を立て直さねば。

「別に悔しくはないよ。仮にそうだとしても、最終的には単行本になって、こちらとしては利益を上げられるんだから、その程度のことは仕方がないと思うしかない」

要するに、と眼鏡少年がまたレンズを光らせた。

「作家は小説誌に下書きを載せているということですね。その下書きで原稿料を貰っている、そう考えていいわけですね」

「下書き……いや、そういう言い方はちょっと」

「でも、そうでしょう？　書き直すことが前提なんだから」

「そんな前提はないよ。多くの作家さんは、なるべくなら書き直さなくていいようにと、がんばって書いてくれているよ。だけど人間だから、最初の計算通りにいかないことも出てくる。そういうところを単行本にする時に修正するんだ」

しかし眼鏡少年は不満そうに眉間に皺《しわ》を寄せた。

「そういうのを下書きというんじゃないんですか。連載中は、完成された原稿ではないということでしょう？」

「まあ、そうだけど」

すると右隣の女子が、『小説灸英』を手にした。

「へぇえ、読者は完成品じゃないものを買わされてるんだ。それなのに九百円もするんだ」

「いや、ちょっと待って。たしかに単行本にする時に修正はするけど、連載中だって、完成品じゃないってことはない。それはそれで完成されているんだ。それをさらに改良するというか、バージョンアップさせるというか……そう、バージョンアップだ。読者だって、より完成度の高いものを読みたいはずだからね」青山は懸命に熱弁をふるった。腋《わき》の下《した》は汗びっしょりだ。どうして自分がこんな目に遭わなければならないのか、と神田のことを恨めしく思った。

中学生たちは再び顔を見合わせた。何か目で合図を送っているようだ。青山は嫌な予感がした。

小柄な男子中学生が鞄からA４の紙を出してきた。

「ここへ来る前にインターネットで調査してみたんです」

さっきは分析で、今度は調査。何なのだ、このチビは。

「この十年間に、『小説灸英』には百五十作以上の長編小説が連載されています」

「あ、そうなの」

そんなものかもしれない、と青山は思った。数えたことはなかったが。

「青山さんがおっしゃるように、それらの多くが単行本になっています。でも十六作品が、未《いま》だに出版されていません。これはどういうことでしょうか」

「どういうことって、それはまあそれぞれに事情があるんだと思う。手直しに時間がかかっているとか、出版時期を探っているとか……」

するとチビ中学生は、持っていた書類を机に置いた。

「十六作品のうち十作品は、連載終了から三年以上が経《た》っています。さらにそのうちの五作品は、終了は八年以上も前です。これらの作品についてはどうなっているのですか。どうして単行本にならないのですか」

「それは……」

俺だって問題だと思うよ、と答えたいところだった。だがそんなことは口が裂けてもいえない。いってはならない。

「それは、僕にはわからない。単行本を出すのは別の部署だからね。彼等と作家とで話し合って、そういうふうになったのだと思う」

では、とチビはいった。「その部署の人を紹介していただけますか。この点について、お話を伺いたいので」

その直後だった。フロアにいた一部の人間たちがそわそわし始め、行き先表示板に何かを書いたかと思うと、ばたばたと急ぎ足で部屋を出ていった。いうまでもなく、全員が単行本の担当者たちだ。

青山は吐息をつき、チビ中学生を見た。「残念ながら、今は全員出払っているみたいだ」

「そうですか」しかしチビ中学生は全く動じることなく、さらに書類を出してきた。

「それらの単行本化されていない作品について、インターネットで調べてみたんです。すると半分以上の作品が、話の途中で突然連載が終了していることが判明しました。これは作者がストーリー作りに行き詰まって、投げ出したと解釈するのが正しいのではないでしょうか。もしそうではないということなら、なぜそんなことになるのか、合理的に説明していただきたいのですが」

青山は小さく呻《うめ》いた。合理的に説明？　そんなこと、できるわけがない。なぜなら、実情はチビのいう通りだからだ。

「どうなんですか」チビがしつこく訊いてくる。

「うーん、まあ、そういうこともあるかもしれない。あっ、でも、稀にだよ。作家だって人間だから、ミスをすることもある。君たちだってそうだろ。どんなに勉強しても、なかなか百点は取れないだろ。それと同じだよ」

チビ中学生の目が険しくなった。「同じでしょうか」

「同じだよ。人間のすることだ。ミスだってある」

すると眼鏡少年がいった。「テストと商品は違うと思います」

「しょ、商品？」

眼鏡少年は机の上の『小説灸英』を手にした。

「この小説誌は御社の商品ではないのですか。そこに、単行本にできないような失敗作が掲載されていたということは、それは不良品ということになりませんか。本来ならばリコールし、回収して、無償で完成作と交換すべきではないでしょうか」

4

「こちらを見学させていただくと決まった日から、僕たち、いろいろと研究したんです」眼鏡少年は淡々とした口調でいった。「だけど、どうしてもわかりませんでした。なぜ高い原稿料を払ってまで、連載小説を掲載するのですか。単行本化が目的だというのはわかりました。だけど実際には、その目的すら果たせないケースがあるわけですよね。その場合、作家は原稿料を返金するんですか。しないですよね、たぶん。じゃあ、その連載は一体何のために行われたことになるのですか。作家にあぶく銭を渡しただけのように思うのですが、そう考えるのは間違いですか。それから連載小説の実態は、青山さんが何といおうとも、やっぱり下書きだと思います。作家は下書きを出版社に売りつけて、恥ずかしくないのでしょうか。また出版社は下書きだとわかっていながら掲載することに、罪悪感を覚えないのでしょうか。それとも、どうせ連載小説なんか読む者はいないと、作家も出版社もたかをくくっているのでしょうか」

「いや、そんなことはないよ」青山は身体《からだ》を縮こまらせ、弱々しく答えた。

青山さん、とチビ中学生がいった。

「これまでの話でわかったことがあります。つまり連載小説というのは、売れっ子作家に原稿料という名目でお金を渡すシステムなんですね。だから下書きでも何でも構わない。そうではないですか」

その通りだよ、と答えるわけにもいかず青山は黙り込んだ。

「もしそういうことなら、原稿料だけ払って、掲載はしなければいいのではないですか。それも連載みたいに少しずつ原稿を貰うのではなく、完成した原稿をまとめて貰ったらいいじゃないですか。それなら書き直しとかの面倒な手順は省かれるし、原稿料を払ったのに単行本にならないなんていうことも回避できます。『小説灸英』には、読み切りの小説だけを掲載する。それなら立派な商品になると思います」

チビのいうことは尤《もっと》もだ。だが、そう簡単にはいかないのだ。

「それは無理なんだ」青山はいった。

「どうしてですか」

「それでは計算が立たない」

「計算……ですか」

「そう、計算だ」青山は椅子の背もたれに身体を預けた。ここはもうある程度本音を語ろう。そういう気持ちになっていた。「連載という形にすれば、下書きだろうが何だろうが、その作家の原稿が毎月確実に手に入る。出版社にとっては、それが大きいんだよ。連載が始まりさえすれば、いずれは作品は完成する。たしかに単行本にできないこともあるけど、それはレアケースだ。大抵の場合は、それでうまくいくんだ」

　しかし中学生たちは釈然としない顔つきだ。案の定、「やっぱり、わかりません」と眼鏡少年がいった。

「小説が完成するのを待ちきれないから、原稿料を払って毎月少しずつ原稿を買うシステムだというのはわかりました。だけどどうしてそれを掲載しなきゃいけないんですか。お金を払ったら、それを掲載するかどうかは出版社の自由でしょ？」

　青山は頭を振った。やはり子供だ。何もわかっていない。

「掲載しないわけにはいかないよ。それは作家に対して失礼というものだ」

「失礼？　そうでしょうか」

「失礼だよ。掲載させてくださいといって原稿を依頼するんだ。作家だって、そのつもりで仕事をしている。それで掲載されないなら怒っちゃうよ。だったら締切を設定するなって話になっちゃう」

「どうして怒るんですか。所詮、下書きでしょ。そんなもの、世間の目に触れさせないほうが作家にとってもいいと思います。原稿料は入るんだから、文句はないはずです。締切を設定するなというのもおかしな話です。だったら納期という言い方にすればいいんです。作家は製造業でしょ。納期を守るのは当然だと思うんですけど」

「それが、そうもいかないんだよ」

「どうしてですか。掲載しないと作家に対して失礼だとおっしゃいましたが、そんなものを掲載すること自体、読者に対して失礼だと思いませんか」

眼鏡少年の言葉は、ナイフのように青山の胸にぐさりと突き刺さった。「それは……」といったきり、言葉を続けられなかった。読者に対して失礼——それはその通りだ。

青山さん、と深刻そうな声を出したのは神田の息子だ。

「先日、たまたま父のメールを見ちゃったんです。そこには、『小説灸英』が売れなくて困っている、という意味のことが書かれていました。それで連日会議をしていて、疲れ果てているとも。だけど僕は理解に苦しみます。これまでの話から、『小説灸英』は読者のためではなく作家のために出版されているとわかったからです。そんなもの、売れなくて当然です。悩むこと自体、ナンセンスです。父がそんな仕事をしているなんて、本当に情けないです」

情けない？

「そうよ。恥ずかしいと思わないんですか」そういったのは大人びた女子中学生だ。

恥ずかしい？

「お金を取って読者に提供するからには、完成品だと自信を持っていえる作品でなきゃだめだと思います。単行本の時に書き直すんじゃ、仮に連載中に読んでた人がいたら、その人たちはどうなるんですか。もう一度単行本を買えというんですか。それ、詐欺じゃないですか」

詐欺だと？

青山の頭の中で、ぶつぶつと何かの線が切れていった。だが中学生たちは、さらに攻撃してきた。曰《いわ》く、こんな半端な商品を作っておいて、本が売れないだの、出版不況だの、聞いてあきれる。誰も読まないページに紙と労力をかけて何が嬉しいのか。単なる資源の無駄遣い。いっそのこと連載小説のページは白紙にしておいたらどうか。それならメモ用紙として使えるだけまし——。

「うるせえええっ」青山は机を両手で叩き、立ち上がった。「てめえら、勝手なことばっかいってんじゃねえっ」

眼鏡少年の目が、レンズの向こうで丸くなった。ほかの中学生たちも、ぽかんと口を開けている。彼等を見ながら青山は続けた。

「わかってんだよ。俺たちだって、変なことをやってるとわかってる。だけどしょうがないんだよ。こうでもしないと、作家の奴《やつ》らは書かないんだ。とりあえず活字になる媒体を用意して、そこに掲載するっていう形にしないと、あいつら書かないんだ。先生お願いします締切までに必ず書いてくださいと何度も土下座しながら催促して、それでやっと原稿が上がってくるんだ。納期？　そんな言葉が連中に通用すると思うか。ふつうの仕事ができないから作家になったような人間たちだぞ。あいつらは子供と一緒なんだ。夏休みの宿題を八月三十一日にならないとやらない小学生と一緒だ。いいや、それ以下の奴だっている。平気で締切を無視しやがる。威張りながら原稿を落としやがる。連載小説なんて誰も読まない？　そうだよ、その通りだ。そんなことは作家の奴らだってわかってる。小説誌が大赤字だってことも知ってる。商品として成り立ってないことも、あいつらは知ってる。それでも知らんぷりして、堂々と原稿料をふんだくっていきやがるんだ。そうやってようやく寄越した原稿は、さっきからあんたらがいってるように下書きレベルだ。誤字脱字だらけなのはもちろんのこと、矛盾だらけ疑問だらけってことも珍しくない。先生この登場人物は前々回に死んでますが、なんてこともザラだ。それに対する答えは、あっそう、じゃあ単行本にする時に直すわっときたもんだ。そんなわけにはいかないので直してくださいと粘ったら、逆ギレしやがる。そんな面倒臭いことをいうなら、今後おたくの出版社とは付き合わない――あいつら、二言目にはそういうんだ。仕方がないから、うちらが何とかするんだよ。下書きレベルの駄目原稿を、何とか読めるレベルに修正するんだ。うちらだって欠陥商品なんか売りたくないよ。だから必死で作家の尻ぬぐいをしてるんだ。それのどこがナンセンスだ。詐欺だ。文句があるならいっぺんやってみろ。小説誌の編集者をやってみろ。馬鹿たれ作家たちの相手をできるもんならやってみろってんだああ」

天井に向かって雄叫《おたけ》びを上げた直後、青山は我に返った。たった今自分が発した言葉の一つ一つを振り返り、怖くなった。俺は何ということを口走ってしまったのか。

おそるおそる中学生たちを見た。彼等は呆然《ぼうぜん》としている。

次に青山は周囲に目を向けた。フロアに残っていた人間全員が彼を見つめていた。先程出ていったはずの書籍担当者たちも、いつの間にか戻っている。

一人の人物が、ゆっくりと青山に近づいてきた。神田だった。彼の目は真っ赤だった。

青山は焦った。今の発言を訂正しなければならない。だが言葉が出なかった。まずは先に謝ったほうがいいのか——。

神田は青山の前で立ち止まった。じっと睨みつけてくる。すみません、といおうとした。しかしその前に神田の両手が伸びてきて、青山の手を摑《つか》んだ。

「えっ？」

青山は神田の顔を見返した。すると上司の目から一筋の涙が頬をつたった。

その時だった。「お父さん」そういって神田の息子が立ち上がった。「知らなかったよ。お父さんの仕事が、そんなに過酷なものだったなんて。ごめんなさい」

「おお……」神田は息子のほうに向き直った。父と子は、しばし見つめ合った後、がっしりと抱き合った。

眼鏡少年、チビ中学生、そして二人の女子も立ち上がった。

青山さん、と眼鏡少年がいった。「素晴らしい答弁でした。感動しました。小説誌のことを誤解していました。青山さんたちは戦っておられるのですね。軽はずみな発言、撤回します。どうか、これからもがんばってください」

青山は返答に窮した。途方に暮れていたといったほうがいいだろう。

その時、どこかで誰かが、ぱちぱちぱちぱちと手を叩き始めた。それをきっかけに、青山に対するスタンディングオベーションが始まった。

天敵

1

小堺は駆け足になりながら時計を見た。約束の二時まで、あと二分ほどしかない。まずいなあ、と唇を噛《か》んだ。前の仕事が延びてしまったのだ。

新鋭作家の唐傘ザンゲとの打ち合わせ場所は、彼の自宅の近くにあるファミリーレストランと決まっていた。唐傘は、その店でドリンクバーのコーヒーを何杯もおかわりしながら構想を練るのが習慣になっているらしい。

以前なら、少しぐらいの遅刻はどうってことなかった。唐傘はそんなことで機嫌を悪くするような人間ではない。

だが今は違う。たとえ唐傘が何もいわなくても、遅刻は許されない。

あいつ、今日も一緒かな。今日はほかに用があって来てないってことはないかな——そんな考えが小堺の頭をよぎる。淡い期待だとわかってはいるが。

ようやく店に到着した。小堺はドアを開け、勢いよく飛び込んだ。急いで店内を見回す。奥のテーブルに唐傘がいるのを見つけた。

そして――。

やっぱりあいつはいた。唐傘の隣で、腕時計を見つめている。唐傘は小堺に気づいて会釈してきたが、あいつは見向きもしない。

「やあ、どうも」小堺は愛想笑いを浮かべて近づいていった。向かい側に腰を下ろしながら腕時計を見た。「うわっ、二時ちょうどでしたね。あぶないところだった」

「その時計、狂ってますよ。二時一分です」あいつ――須和元子《すわもとこ》が冷淡な口調でいった。

「えっ、そうですか。おかしいなあ。ちゃんと合わせたはずなんだけどな」

「私のは電波時計です。一秒だって狂いません。小堺さんが店にお入りになった時、すでに二時を過ぎていました。前にもいいましたよね、遅刻は困るって」甲高《かんだか》い声でまくしたて、猫のような目で小堺を睨《にら》んできた。年齢は二十七歳ということだが、童顔なので、もっと若く見える。

「まあ、いいじゃないか。たったの一分なんだから」

唐傘が取りなそうとしてくれたが、「だめよ、そんな甘いことをいっちゃ」と須和元子の剣幕は収まらない。「一分を許せば二分を許すことになる。それが三分四分になって、五分になって十分になる。先生の貴重な時間がそんなふうに浪費されるなんて、私は絶対に許せない」

「はい、おっしゃる通りでございます」小堺はテーブルに両手をついた。「本当に申し訳ありません。じつは前の仕事が長引きまして……」

「そんなこと、こちらには関係ありませんっ」

「もちろんそうです。いやあ、本当に……この通りです」小堺は二人に向かって、というより須和元子にぺこぺこと頭を下げた。

好奇心丸出しで様子を窺《うかが》っていたウェイトレスが注文を取りに来た。二人の前には、すでに飲み物が置かれている。ドリンクバーを、と小堺は注文した。

自分のコーヒーを取ってくると、小堺は背筋を伸ばして唐傘を見た。

「さて……と。で、書き下ろしのほうはどんな感じでしょうか。前回の話では、中盤にさしかかったところだということでしたが」

途端に唐傘が表情を曇らせた。「いやあ、それが……」

小堺は察した。若手作家のこういう顔は見飽きている。

「行き詰まってるわけですね。どの部分ですか」

「どの部分というか……そもそもの設定が良くないのかなと思い始めてるんです」

「設定？　それはどういうことでしょう」

「だから、舞台設定とか人物設定とかです。明治時代にタイムスリップした主人公が、銀座煉瓦街《れんががい》で探偵業を始めるという設定でしたけど、どうもいろいろとうまくいかなくて」

「どうしてですか。面白い設定だと思いましたけど」

唐傘は、うーんと唸《うな》った。

「うまく不条理な論理を展開できないんです」

「ははあ、不条理な論理ですか」小堺は今ひとつよくわからなかった。

「僕の作品の特徴は、やっぱりそこだと思うんです。なんだかんだいっても、結局僕の本で売れたのは、『虚無僧探偵《こむそうたんてい》ゾフィー』だけです。あれが売れたのも、業界から評価されたのも、論理展開の不条理さが良かったからだと思います。僕のファンは、ああいうものを待っている。だからいつも、あれと同等か、あるいはあれ以上のことをやりたいと思っています」

「わかっています。だから今回の設定をお考えになったわけですよね。構想を伺った時には、鳥肌が立ちました。『虚無僧探偵ゾフィー』の世界が蘇《よみがえ》ると思いました」

小堺は精一杯持ち上げたつもりだったが、唐傘は浮かない顔つきのままだ。

「でも、弱いんですよね……」

「と、いいますと?」

「インパクトがないんです」横から突然口を挟んできたのは須和元子だった。

「インパクト?」

「謎に強烈なインパクトがないんです。『虚無僧探偵ゾフィー』を書いた唐傘ザンゲが、あんな地味な謎を描《えが》いちゃだめ。あんなのなら、ほかの作家にだって書けます。ファンは喜びません。最大のファンである私が、そう先生にいったんです。ねっ」

何が、「ねっ」だ、と小堺は忌々《いまいま》しい思いで彼女を見た。唐傘の迷いの原因は、どうやらこいつらしい。全く、余計なことをいいやがって。

唐傘は黙って項垂《うなだ》れている。

「で、どのようにしようと考えておられるわけですか」小堺は、おそるおそる訊《き》いた。

「うん、そこなんですけど」唐傘は顔を上げた。「細かいところをちょこちょこ直しても、抜本的な解決にはならないと思います。ここは一つ、頭から書き直したほうがいいんじゃないかと……」

「えーっ」小堺は上半身をぴーんと伸ばした。「頭から、ですか。どんなふうに?」

「だから明治時代の煉瓦街はやめて、いっそのこと外国を舞台にしたほうがいいのかなと考えたりして……ロンドンでシャーロック・ホームズと対決するとか」

すごーい、と須和元子が手を叩《たた》いた。「先生のファンは、そういうのが読みたいんです」

おまえは黙ってろ、といいたいのを小堺は我慢した。

「いやしかし、この段階で一から書き直すとなると、予定通りには脱稿できないんじゃないですか」

「それは難しいと思います」唐傘は俯《うつむ》いた。

「いいじゃないですか、そんなの」ここでまたしても須和元子が口出しする。「予定は未定、変更しなきゃいけないことだってあるでしょ。中途半端なものを書いて、唐傘ザンゲの名前に傷がついたらどうするんですか。責任取ってくれるんですか、どうなんですか」

そんな責任なんて取れるわけがない。いやあそれは、と小堺が口篭《くちごも》ると、「やっぱりそうなんだ」と須和元子は勝ち誇った顔になった。「作品の出来とかはどうでもよくて、とにかく唐傘ザンゲの新作を出したいだけなんでしょ。だめよ先生、騙《だま》されちゃ」

「いやそんな、騙すだなんて」小堺は両手を顔の横で振った。「僕だって、唐傘さんには納得のいくものを書いてほしいと思っています」

「だったら、少し待ってもらえますか。考え直したいので」唐傘が深刻そうな顔をした。

作家にそういわれれば、編集者としては無理にでも書けとはいえない。わかりましたと引き下がることにした。

ファミレスを出てから、大きな音をたてて舌打ちした。何なのだ、あの女は。

須和元子のことは前回の打ち合わせで紹介された。マネージャーみたいなものです、と唐傘が照れ気味にいうのを聞き、ぴんときた。ははーん、付き合っているのだな、と。当然、結婚が前提だろう。

珍しい話ではない。売れっ子作家が事務所を作り、奥さんを社長に据えるというのは、よくある話だ。社長だから、多少は仕事に口を出すこともある。マネージャーみたいなもの、とはそういう意味だろうと解釈した。

だが須和元子は、そんな奥ゆかしい存在ではなかった。とにかく、唐傘の仕事に、ことごとく口出しするのだ。アドバイス程度ならいい。激励ならありがたい。彼女の場合は違った。編集者を、「自分の大切な人を食い物にするハイエナ」とでも思っているらしく、徹底的に敵視してくる。どんな企画も仕事も、彼女の了解を取らないと通らないのだ。

一言でいうと彼女は、小堺の天敵だった。

2

「あー、そのケースね。ふうーん」小堺の話を聞き、編集長の獅子取は他人事《ひとごと》のような軽い口調でいった。「そうかあ。ザンゲさん、そんなのと付き合ってるんだ」

「参りましたよ。何で俺があんな女にガミガミいわれなきゃいけないんですか」

「まあ、そうぼやくなよ。よくあることじゃん」獅子取は煙草《たばこ》に火をつけながらいった。

「よくあるんですか」尋ねたのは若手編集者の青山だ。小説誌の編集者だが、唐傘ザンゲを担当しているので、こうして一緒に話すことは多い。

三人は会社の喫煙所にいる。ほかに人はいない。

「あるよ。大体、作家の女房というのは、三つのパターンに分類できる」獅子取は太い指を三本立てた。「無関心タイプ、目立ちたがりタイプ、出しゃばりタイプ、この三つだ」

「ははあ、無関心タイプというのはわかります。旦那の仕事に興味がないという奥さんですね」

「正確にいうと、作品の中身には興味がない、だ。出した本がどれだけ売れて、どれだけ金が入ったか、ということにまで無関心なわけじゃない。そんな奥さんは俺は知らない」

なるほど、と青山は納得する顔になった。「目立ちたがりタイプというのは？」

「そのままだ。旦那が有名になったので、それに乗じて自分も何かを始めちゃうっていう奥さんは意外と多い。感化されて自分も小説を書くといいだす人もいるし、芝居を始めたって人もいる。絵を描いて個展を開くとかさ」

「夏井先生の奥さんは、シャンソンのコンサートを開きましたよね」小堺は補足した。

「そうだった。あれには参った。あんなに音痴だと思わなかった」

「そういう場合、担当編集者は……」

「当然、全部付き合う」獅子取はきっぱりといいきった。「作家の奥さんが本を出したとなれば、まずは買って読み、誰よりも先に感想を手紙で送る。もちろん絶賛の言葉を並べなきゃいかん。芝居に出るとなれば最前列の席に陣取り、感動の涙を流す。絵の個展が開かれるとなれば、花を贈り、一番に駆けつけて絵を購入する。コンサートがあるとなれば、目立つ場所でスタンディングオベーションをする。いうまでもないことだ」

「大変ですねえ」

「そんなのは、まだましだよ」小堺はいった。

「そう、そんなことは編集者にとって屁《へ》でもない」獅子取は天井に向かって煙を吐いた。

「最後の出しゃばりタイプってのは、どういうのですか」

「それか」獅子取は短くなった吸い殻を灰皿で揉《も》み消し、新たに取り出した煙草に火を点《つ》けた。「ある意味、それが一番面倒なんだよな」

「というと……」

獅子取は煙草を二本の指で挟んだまま、その手の親指で頭を掻《か》いた。

「無関心な人は無論のこと、目立ちたがり屋の奥さんがいたって、俺たちの仕事にはさほど支障はない。困るのは、奥さんがあれこれと口出ししてくるケースだ。プロデューサータイプともいう」

あっ、と青山が小堺のほうを向いた。「唐傘さんのケースは……」

「それだよ、まさしく」小堺は渋面《じゅうめん》を作った。「完全にプロデューサー気取りだ。しかもまだ結婚もしてないのに。どういうことだ」

「そのタイプの厄介なところは、編集者の仕事にだけ口出ししているわけじゃないって点だ。じつは作家の創作にも、あれこれと注文をつけているケースが少なくない」

獅子取の言葉に小堺は唸った。「そうなんですよねえ」

「そうなんですか」青山が意外そうに訊く。

「その手の人間は、元々その作家のファンだったっていうケースが殆《ほとん》どなんだ」獅子取が解説を始めた。「ファンっていうのは応援してくれるが、そのかわりに注文も多い。しかも我儘《わがまま》だったりする。以前ある作家が、マンネリから脱しようと思ってシリーズキャラクターの一人を死なせたら、なぜそんなことをした、書き直せっていう脅迫状が来たことがある。つまり思い入れが強すぎて、自分の気に入らない展開だとヒステリーを起こしてしまうわけだ」

へええ、と青山は驚きの色を浮かべた。

「あと、個人的な趣味を押しつける人もいますよね」小堺がいった。「たとえば官能シーンは書いてほしくないとか」

「ああ、そうだな。恋愛小説で売れっ子の女流作家が、ある時期から急にセックスシーンを書かなくなったので不思議に思っていたら、当時付き合っていた彼氏から、君にはそんな小説は書いてほしくない、とかいわれてたってことがあった。馬鹿げた話だよ」

「でも作家も作家ですね。そんな人の意見、聞かなければいいのに」

「ところが、聞いちゃう作家が多いんだ。みんな、女房や恋人には弱いもんなあ。で、どうしましょう、獅子取さん。そういうわけで、唐傘さんは最初から書き直すといってるんですが」

小堺の質問に大柄の編集長は考えこむ顔になった。

「今度の新作って、明治の街を舞台に探偵が不条理な事件に遭遇するってやつだっけ」

「そうです。唐傘さんお得意の、本格不条理ミステリです。おおまかなストーリーやトリックはそのままで、舞台と人物設定を変えたいと……」

ふうん、と獅子取は鼻を鳴らし、「まっ、仕方ないね。ここは一つ、プロデューサーに任せようよ」と諦めたような口調でいった。

3

唐傘ザンゲこと只野六郎はパソコンの前でため息をついた。コーヒーカップを引き寄せたが、すでに空っぽだった。コーヒーを淹《い》れるかどうか迷い、やめておくことにした。今日はもう五杯も飲んでいる。

画面を眺め、またため息。頭を掻きむしった。

アイデアが、どうしても出ないのだ。小堺にいったように、設定は一から作り直した。ところが、それでもストーリーがうまく転がらない。

以前はこんなことはなかった。舞台を用意すれば、登場人物たちが勝手に動いてくれた。六郎自身が予期しないような謎が現れ、計算外の人物が意味不明としか思えない言動を繰り返し、やがては不条理なりに我ながら見事だと思える世界が構築されていった。

だが最近は、そううまくはいかなくなっている。毎回毎回、苦しみながら書いている。書き上がったものにしても、今ひとつ納得ができない。これがスランプというものかもしれない。ここから脱せられる日が来なかったらどうしようと考えたら、背筋が寒くなる。

舞台を明治時代の東京から、十九世紀のロンドンに変えたのがよくなかったのだろうか。フランスにしてみるか。いや、思い切ってアメリカに——そう考えたところで玄関の鍵の外れる音がした。

ドアが開き、こんにちは、といって元子が入ってきた。彼女には合鍵を渡してある。

「どんな感じい？」近寄ってくるなり、パソコンの画面を覗《のぞ》き込んだ。「あれー、あんまり進んでないね。どうしたの？」

「どうもうまくいかない。設定がよくないみたいだ」

元子は腕組みした。「ロンドンにしたのは悪くないと思ったけど」

「舞台だけの問題じゃないかも。それでひとつ考えたんだけどさ、今回はちょっと挑戦してみようかと思うんだ」

「挑戦？　どんなふうに？」元子の目がきらりと光った。

六郎は唇を舐《な》めてから口を開いた。「警察を出すってのはどうかな」

「けいさつう？」元子の眉間に筋が一本入った。

「うん、やっぱり正式に捜査する人間を出したほうが、展開がすっきりすると思うんだ」

「本格不条理ミステリはやめるっていうの？」

「いや、それは違う」六郎は、あわてて顔の前で手を振った。「そうじゃない。そのセンは捨てないよ。そんなのは当たり前だ。僕の小説の売りはそこなんだから」

「でも、警察に捜査させるんでしょ。それじゃあ不条理ミステリにならないと思うけど」

「だからその捜査も不条理なものにしてしまうんだ。たとえば――」

六郎は自分の思いつきを懸命に説明した。元子に理解してもらおうとした。

須和元子は、六郎の高校時代の親友の妹だった。そんな彼女から手紙が来たのは、六郎がデビューした直後のことだった。そこには彼の新人賞受賞を祝う言葉と、受賞作である『虚無僧探偵ゾフィー』を読んで如何《いか》に感動したかという思いが、綿々と綴《つづ》られていた。

嬉《うれ》しかったので、すぐに親友に電話して礼をいった。すると三人で会おうということになった。銀座の中華料理店で再会を果たした。

十数年ぶりに会う元子は、美しい大人の女に変貌していた。六郎は、まともに目を合わせられなかった。彼女のほうは、兄の親友というより、憧《あこが》れの作家に会えて嬉しそうだった。

それをきっかけに付き合うようになった。元子は、六郎の書いた本は、すべて読んでくれている。感想もいってくれる。褒めるばかりでなく、遠回しに不満を仄《ほの》めかすこともあった。そういうところも六郎は気に入っていた。絶賛されるのは気分がいいが、それだけだと作家にとってプラスにならない。

元子とは結婚を考えている。すでにお互いの両親にも挨拶済みだ。業界ではまだ公にしていないが、何かと世話になっている先輩作家の玉沢義正には紹介した。

「いいのかい元子ちゃん。この稼業の女房は辛《つら》いよ」玉沢は、にやにやしながらいった。

覚悟はできています——その時の元子の返答だ。

その頃から元子の態度が少しずつ変わってきた。以前から六郎は、書いている途中の小説を彼女に読ませ、感想を求めたりしていたのだが、これまでの彼女は、あまり強く意見をいうことはなかった。だが最近は、かなり積極的になってきた。どうやら玉沢に脅され、作家の妻としての自覚が芽生えたようだ。

彼女の意見は首尾一貫していて、『虚無僧探偵ゾフィー』を上回る本格不条理ミステリを書いてほしい、というのだった。それは六郎自身が目指していることでもあった。インターネットなどを見ても、さほど数は多くないにせよ、自分には熱狂的なファンがついているという自覚がある。彼等の期待を裏切りたくなかった。だからそういうファンの代表でもある彼女の意見を聞くのは有意義だと思えた。

だが小説に警察を出すという六郎のアイデアに、元子は乗ってこなかった。

「それ、なんか違う。唐傘ザンゲの作品じゃない。唐傘ザンゲもどきって感じ」

「そうかな、やっぱり」

「やっぱりって、自分でもそう思ってたわけ。だめだよ、妥協しちゃ」

この意見に六郎は反論できない。その通りなのだ。

その時、携帯電話が鳴りだした。小堺からだった。六郎が電話に出ると、いかがですか、と訊いてきた。

うーん、と六郎は唸った。「今ひとつ、壁を乗り越えられない感じです」

「そうですか。では、現在の状況だけでも聞かせていただけますか」

「わかりました」

編集者に会っても仕方がないと思ったが、無下《むげ》にもできない。いつものファミレスで会うことになった。

4

店に入ってきた二人を見て、小堺は憂鬱な気分になった。またあの女——須和元子が一緒だ。あのプロデューサー気取りの女が。

「ええと、前回の打ち合わせでは、設定を変えてみるという話でしたが」全員の飲み物が揃《そろ》ってから、小堺は切り出した。「それでも何か問題があるんですか」

「どうも話が面白い方向に転がらないんですよね。停滞するというか。それで今回は思い切って、警察を出そうかとも思ったんですが」

それいいじゃないですか、と小堺はいおうとした。唐傘の小説は、ミステリなのに警察が一切出てこないのが特徴の一つだ。

しかし彼が口を開く前に、「だめですよねえ、そんなの」と須和元子がいった。「そんなの唐傘ミステリじゃないですよ。ファンはがっかりします。小堺さんだって、そう思うでしょ？」

「さあ、どうでしょう。僕は、それも悪くないと思いますけど」小堺は曖昧に言葉を濁す。

「何をいってるんですか。唐傘ファンの代表として、そんなことには断固反対です」

「はあ、そうですか……」うるせえ女だな、と小堺は腹の中で毒づく。作家が書く気になってるんだから、余計なことをいうんじゃねえよ、といいたいところだ。

「とにかくポリシーを曲げちゃだめ。応援してくれている読者を、もっと大事にしなきゃ」

　須和元子に発破を掛けられ、うん、と唐傘ザンゲは萎縮している。完全にかかあ天下だ。

「じつは、ここへ来る前に一つ考えたことがあるんです」小堺は唐傘と須和元子の顔を交互に見ながらいった。「本当に殺人事件を起こすってのはどうでしょう？」

「殺人を？」ぴんと背筋を伸ばしたのは唐傘だ。「小説中で、本当に人が殺されるってことですか」

「そうです。それを探偵が、いつもの不条理推理で解決する。これなら読者は、きっと驚くと――」

「小堺さんっ」ばん、とテーブルを叩いて須和元子が立ち上がった。「それ、本気でおっしゃってるんですか。唐傘ザンゲの小説では、実際には殺人事件は起きない、人は誰も死なない、それが最大の特徴だってことを忘れたんですか」

目を吊《つ》り上がらせている。大きな黒目に怒りの炎が浮かんでいた。周囲の客が驚いたように見ているが、気にする素振りもない。

「まあまあ、落ち着いてください。お座りになってください」小堺は両手を前に出した。

座りなよ、と唐傘も小声でいう。それでようやく須和元子は腰を下ろした。

「もちろん、唐傘さんの特徴についてはわかっているつもりです」テーブルに両手をつき、小堺はいった。「しかし何事にも妥協ってものが必要な場合があると思うんです。探偵が主人公の本格ミステリで、実際には殺人事件が起きない物語を作るのって、やっぱり相当きついと思うわけです。それをこれまでずっとやってこられた唐傘さんは素晴らしいと思います。すごい才能だと思います。でも、そろそろアイデアが出尽くしてもおかしくはありません。ここは一つ、ハードルを下げませんか。読者は許してくれると思うのですが」

「何をいってるんですか。唐傘ザンゲは、これからの作家です。今ここでハードルを下げてどうするんですか。そんなことをしたら、ふつうの作家にしかなれません。小堺さんは、唐傘ザンゲを潰すつもりですか」

「いや、決してそういうつもりでは……。ハードルを下げるというのは言い方が悪かったです。謝ります。バリエーション……そう、バリエーションを増やすということなんです。それではだめですか」

「だめっ」須和元子は力強く首を横に振った。「そんなもの、私が許さない」

なんでおまえが決めるんだよ、といいたいのを小堺は辛うじて堪《こら》えた。

「では、こういうのはどうでしょうか。殺人は起きないけど、誰かの命が狙われるっていうのは。読者は、おっ、今回はいつもとパターンが違うぞと思うんじゃないでしょうか」

「馬っ鹿じゃないの」須和元子が吐き捨てた。「ファンが、そんなふうに思うわけないでしょ」

「そうかなあ……」

「一番のファンである私がいってるんだから、間違いありません」

「だったら、こんなのはいかがですか。犯人が――」

「もういいです。もう結構。話にならない」須和元子は唐傘の腕を摑《つか》んだ。「行こう、六郎さん。こんなの話にならない。こんなのに付き合ってたら、潰されちゃうよ」

「こんなのに？」

「もっとまともな人と話をしよう。でないと六郎さんのためにならない」

「ちょっと待ってください。唐傘さん御本人の話を聞きましょうよ」小堺は、はらわたが煮えくり返っていたが、精一杯の愛想笑いを浮かべた。

「そんなの、聞くまでもないと思います。――そうだよね」須和元子は唐傘に同意を求めた。

「それは……ゆっくり考えないと」唐傘は苦悶《くもん》の表情でいった。「実際に殺人事件を起こすっていうのも一つの手かもしれないし、登場人物が命を狙われるという展開も面白いかもしれない」

「六郎君っ」須和元子が声を張り上げた。「何をいいだすの。読者を裏切るわけ?」

唐傘は肩をすぼめた。「……やっぱりまずいかな」

「当たり前でしょ」そういってから彼女は、猫のような目で小堺を睨んだ。「あなたが変なことをいうから、六郎君がおかしくなっちゃったじゃないですか」

「いや、僕は創作のヒントになればと思って……」

「あなたなんかに助けてもらわなくても六郎君は書けます。引っ込んでて」

「引っ込んでて?」小堺は、かちんときた。「あんたこそ、引っ込んでたらどうだ」思わず口から出ていた。

須和元子の動きがぴたりと止まった。ゆっくりと小堺のほうに顔を巡らせた。目の端が一層吊り上がっていた。「何かおっしゃった？」

しまった早く謝らなきゃ、と思いつつ、「いいましたよ。引っ込んでろってね」と口が勝手にしゃべっていた。

「誰に向かっていってるわけ？」低い声でいいながら、須和元子は立ち上がった。

小堺も睨み返し、腰を上げた。

「あんただよ。この、プロデューサー気取りの出しゃばり女が」

「何だって、そっちこそ能無し編集者のくせにっ」

「何だと。能無しはおまえだ。人の仕事に口出しする暇があるなら、化粧の仕方でも覚えやがれ。キャバ嬢みたいなメイクしやがって」

「いったわねっ。このガイコツ男」須和元子がグラスを手にするや、小堺に水を浴びせてきた。

「わっ、何をしやがる」小堺は残っていたコーヒーを浴びせ返した。

ちきしょうと叫び、須和元子は隣のテーブルからケチャップを取ってきた。小堺がよける暇もなかった。あっという間に背広がケチャップだらけになった。

「やりやがったなっ」

小堺がマスタードで応戦すると、向こうからはマヨネーズが襲いかかってきた。周囲で悲鳴が上がったが、気にしている余裕はない。塩、コショウ、ペーパーナプキン、無我夢中で手当たり次第に物を投げつけた。あとはもうぐちゃぐちゃだ。頭に血が上り、自分が何をしているのかわからなくなっていた。

気がついた時、小堺は床の上で店員に羽交《はが》い締《じ》めにされていた。須和元子は唐傘が押さえつけている。彼女はマスタードで顔の半分を黄色く染め、はあはあと息をきらしながらも、やはり小堺を睨みつけてきた。

唐傘が彼女から離れ、立ち上がった。

「二人とも、いい加減にしてくれっ。これじゃあ執筆どころじゃない」

小堺は冷静さを取り戻した。えらいことをしてしまったと後悔したが、もう遅い。

「すみません。僕は唐傘さんに良いものを書いてほしくて……」

「だったら、妥協とかハードルを下げるとかいわないでよ」須和元子が口を尖《とが》らせた。

「だからそれは言葉の綾《あや》というやつで、少し目先を変えたほうがいいといってるんだ。君みたいに理想ばっかり押しつけてたんじゃ、行き詰まるのも当然だよ」

「そんなことない。そうでしょ、六郎さん」

恋人の問いかけに唐傘ザンゲは即答しなかった。俯き、考え込んでいる。六郎さんっ、と須和元子が苛立《いらだ》った声を出した。

「答えて。どっちを取るの？　この馬鹿編集者がいうように、少し目先を変えるなんていうセコいことをする？　それとも私たち唐傘ファンの期待に応《こた》えて、本格不条理ミステリの王道を行ってくれるの？」

唐傘は沈鬱な表情で黙ったままだ。小堺は息を呑《の》み、答えを待った。

やがて唐傘が顔を上げた。次に彼が発した台詞《せりふ》は、小堺を唖然《あぜん》とさせた。

どちらも取らない、本格不条理ミステリは卒業する——それが彼の答えだった。

5

スーパーの食料品売り場にいる時、携帯電話が着信を告げた。表示を見て、元子は電話に出た。「はい、須和です」

「獅子取です。どうもどうも。今、いいですか」

「大丈夫です」答えながら店の隅に移動した。

「唐傘さんの新作、途中までですが読みました。いやあ、じつに素晴らしい」

「そうですか。私は読んでないんですけど」

「明治初期の東京を舞台に、元忍者だった男がスパイになって活躍するという話です。ピストルも出てくるが、手裏剣も出てくる。驚きました。これまでの唐傘さんのイメージからがらりと変わっています。『虚無僧探偵ゾフィー』と同じ作者だとはとても思えない。やはり才能がある」

「それを聞いて安心しました。ありがとうございます」

「礼をいわなきゃいかんのはこっちです。いい本になりそうだ。すべてあなたのおかげです。よくがんばってくださった。種明かしをしたら、小堺の奴《やつ》、びっくりしてましたよ」

「小堺さんには謝っておいてください。背広のケチャップ、落ちたのかな」

「あいつのことは気にせんでもいいです。ではひとつ今後もよろしく」

「こちらこそ」そういって電話を切った。

ここ数週間の出来事が、元子の脳裏に蘇った。

きっかけは先輩作家の玉沢義正だった。六郎から紹介された時のことだ。六郎が席を立った時、玉沢は一枚の名刺をくれた。灸英社の獅子取という編集長のものだった。

「彼、今スランプでしょう?」

玉沢の言葉に元子は驚いた。まさにその通りだったからだ。どうしてわかるんですかと訊くと、玉沢はやっぱりね、といって笑った。

「そういう時期なんです。誰もが経験する。その獅子取という男に相談するといい。必ず、何かいいアイデアをくれるはずだ。ただし、このことは唐傘君には内密に」

わかりました、といって名刺をしまった。

その数日後に獅子取と会った。大柄で顔はいかつく、少し怖かったが、話してみると好人物だった。

「唐傘さんはね、読者のことを気にしすぎるんです。こんなふうに書いたらファンが喜ばないんじゃないかとか、読者が離れるんじゃないかとか、そんなことばっかり考えてるんだと思いますよ」

獅子取の指摘を聞き、玉沢の時と同様に元子は驚いた。彼女が感じていたことそのものだったからだ。そういうと、でしょ、と獅子取は嬉しそうな顔をした。

「そういうのをね、私はヒット作症候群と呼んでるんです。新人作家とか、これまでなかなか売れなかった作家がヒット作を出すと、どうしてもその作品に縛られちゃうわけです。せっかく獲得した読者を離したくないと思うんでしょうね。特に唐傘さんみたいに、本格不条理ミステリの旗手みたいな持ち上げ方をされたら、なかなかそこから離れられない。何か新しいことをやろうと思っても、自分で作った枠から出ようとしないから、いつも小手先の変化で終わってしまう。それでは作品のクオリティは上がらないし、自分でも納得できない。悪循環です」

どうすればいいでしょうか、と元子は訊いた。

「枠から出ることです。本格不条理ミステリなんかにこだわる必要は全くない。無論、全然違うものを書けば、『虚無僧探偵ゾフィー』のファンは失望するかもしれない。だけど構わんのです。唐傘さんは若い。これから何十年も書いていかなきゃならない。今後獲得するファンの数からすれば、本格不条理ミステリ限定のファンなんてほんの一握りです」

獅子取の口調は自信たっぷりで、聞いていて頼もしかった。話には説得力があり、なるほどと思えた。六郎にも同じ話をしてもらえばいいのではないか。そう思ったが、

「それは無駄でしょう」という答えが返ってきた。

「こういうことは自分で気づかなきゃいかんのです。人からいわれただけでは作家は納得しません。そういう人種ですから」

ではどうすればという元子の問いに、獅子取はしばらく考えていたが、やがて一つの案を出した。

それが、ファンの我が儘ぶりを身を以て教える、ということだった。そのファンは、

なるべく彼の近くにいる人間のほうがいい。近くにいて、あれこれと注文を出すのだ。六郎が本格不条理ミステリを書こうとするかぎり、小手先のごまかしは一切許さないようにする。編集者が妥協案を出してきた場合でも、断固拒否させる。やがては六郎も、ファンのことをいちいち気にしていたら作家として成長できないと気づくのではないか、というのが獅子取の説だった。

元子は賛成した。もちろん、彼女自身がそのファン役をやることになった。というより、実際にファンなのだ。だから演技をする必要はなかった。思ったことをいえばいいだけのことだった。

小堺に水やケチャップをかけたのだって演技ではない。心の底から、この馬鹿編集者め、と思ったのだ。

唐傘ザンゲが本格不条理ミステリを書かないなんて、本当は嫌だ。だけど我慢しなきゃいけない。自分は唐傘ザンゲのファンだけど、その前に只野六郎の妻になる人間なのだ。

この稼業の女房は辛いよ——玉沢義正の言葉が蘇った。

文学賞創設

1

青山が自分の席でゲラを読んでいると、突然両肩を鷲掴《わしづか》みにされた。振り向くと書籍出版部時代の上司である獅子取が立っていた。大柄で、髪を短く刈った頭は額が広い。その顔いっぱいに笑みを浮かべていた。

「青山君、ちょっといい？　大事な話があるんだ」

「えっ、今ですか」

「そう、今すぐ。喫煙所で待ってるからねー」青山の肩をぽんぽんと叩《たた》き、獅子取は立ち去っていく。相手の都合を聞かないのは、獅子取の特徴でもある。

青山はゲラを片付け、席を立った。

喫煙所に向かう途中、「おまえも呼ばれたのか」と後ろから声がした。

先輩編集者の小堺だった。ひょろりと痩せていて、いつも顔色があまり良くない。

「ということは、小堺さんも？」

「ああ、一体何の用だろうな」

面倒臭いことでなければいいが、と顔に書いてあった。

二人で喫煙所に行くと、獅子取は上機嫌で煙草《たばこ》を吸っていた。

「やあ、わざわざ悪いね」目を細め、ふうーっと煙を吐いた。

「何ですか、大事な話って」小堺が訊《き》く。

「まあ、そう慌てずに。ゆっくりと話したいからさ。まずは煙草でもどう？」

獅子取が差し出した箱から、小堺は煙草を一本抜き取った。火をつけて何度か煙を吐いた後、「で、何なんですか」と改めて訊いた。どうせろくな話じゃないだろうと警戒しているふしがある。青山だって内心は同じ思いだった。

「何だよ、二人とも。何をそんなに構えてるんだ？　せっかく景気の良い話を聞かせてやろうと思ってるのに」獅子取は意味ありげに、にたにた笑っている。「これはまだトップシークレットだから、絶対によそで話すなよ」そう前置きして話した内容は、たしかに驚くべきものだった。

「文学賞を創設？　うちの社がですか」青山は思わず声を張り上げていた。

しーしーしー、と獅子取は人差し指を唇に当てた。

「声がでかいよ。もちろんそうだ。よその社の話をしてどうすんだ」

「どういう賞を作るんですか」小堺が訊いた。

「受賞の対象は若手から中堅の作家のエンタテインメント作品。この賞を獲《と》れば、その作家はひと皮剝《む》けてさらに飛躍する、そういうイメージがつくような賞にしていくのが目標だ。前から社長には、是非作りましょうっていってたんだけど、なかなかうんといってくれなかった。でも先日、ようやく首を縦に振ってくれてさ」

どうやら文学賞創設をいいだしたのは獅子取らしい。人のいい社長を前に、唾を飛ばして力説する様子が目に浮かぶようだった。

獅子取は手帳とボールペンを懐から取り出し、さらさらと何やら書くと、青山たちのほうに向けた。『天川井太郎《てんかわいたろう》賞』と下手糞《へたくそ》だが大きな字で書いてあった。

おっ、と青山は思わず声を漏らした。「そうきましたか」

「悪くないだろ」獅子取が舌なめずりをする。

天川井太郎は、時代小説から推理小説、ＳＦ小説、官能小説、歴史小説、企業小説と、あらゆるジャンルの小説を書いて一時代を築いた作家だ。娯楽小説界の二十面相と呼ばれたこともあった。

「それ、ほかの文学賞との兼ね合いはどうするんですか」小堺が訊いた。「まさか、直本賞より上ってことはないですよね」

「当たり前だ。それは論外」獅子取は、さらりといった。「直本賞は、双六《すごろく》でいうと『あがり』だからな。それより上の賞を作ったって、話が盛り上がるわけがない。うちとしては、天川井太郎賞を、直本賞の前哨《ぜんしょう》戦っていう位置づけにしたい。アカデミー賞に対する、ゴールデングローブ賞みたいなもんだよ。社長にもいったんだ、プレ直本賞と陰口を叩かれるようになったら本物ですよってな。もちろんこれは、ここだけの話だけどさ」

「でもそういう賞なら、すでにいくつかあるじゃないですか」小堺がいった。「剛談社《ごうだんしゃ》の吉村《よしむら》文学新人賞とか金潮書店《きんちょうしょてん》の山森長次郎《やまもりちょうじろう》賞です。あのあたりの賞とは、どう差別化を図っていくつもりなんですか」

どちらもエンタテインメント小説の文学賞だ。何らかの形でデビューを果たした作家は、まずは吉村文学新人賞を狙う。そしてその次に目標とするのは山森長次郎賞だ。どちらの賞も、受賞者の多くが後に直本賞を獲っている。

獅子取は途端に渋い顔になり、新しい煙草をくわえた。火をつけ、天井に向かって煙を吐いた。

「問題は、そこなんだよなあ。たしかに、あの二つの賞は邪魔だ。うちが新しい文学賞を創設するといったら、きっと世間の奴《やつ》らはいろいろいうだろう。剛談社や金潮書店の真似《まね》をしてるとか、直本賞のおこぼれ狙いだとか。そういわれないためにも、違う色を出していかなきゃいけない」

「で、どうするんですか」小堺がさらに訊く。青山も身を乗り出した。

それは、と獅子取は自分の膝を叩いた。「これから考える」

「これからですか」小堺が眉尻を下げた。

「心配するな。きっと良い考えが浮かぶはずだ。それで、こうしておまえたちに話したのはほかでもない。じつは新文学賞創設にあたり、準備のためのプロジェクトチームを作ることになったんだ。おまえたちもメンバーだ。よろしく頼むぞ」

えーっ、と青山は小堺と共に不満の声を上げた。

「勘弁してくださいよ。仕事が山積みなのに」小堺がこぼす。僕だって、と青山も文句をいった。

「うるさい。決まったことだから、つべこべいうな。これは灸英社にとっての大勝負だ。関《かか》われるだけでも本望だと思わなきゃ。二人とも、これから忙しくなるぞ。やらなきゃいけないことがいっぱいあるからな」獅子取は、がははと豪快に笑った。

2

大川端多門は約束の時刻より五分ほど遅れて現れた。赤坂《あかさか》にある一流ホテルのティーラウンジである。青山は、獅子取と共にテーブルの脇で起立して迎えた。

ピンクのシャツの上に白いジャケットを羽織った大川端は、七十二歳という年齢を感じさせないしっかりとした足取りで近づいてきた。

「先生、今日はお忙しいところ、お時間を取っていただきありがとうございます」獅子取が慇懃《いんぎん》に挨拶する。

大川端は小さく頷《うなず》き、椅子に腰を下ろした。「まあ、君たちも座りなさい」

二人も席についたところで飲み物を注文した。ウェイターが大川端に気を遣っているのがわかる。この店を指定したのは大川端なのだ。ふだんからよく使っているのだろう。

押しも押されもせぬミステリ界の重鎮である。著作数は三百を超え、総部数は一億部に達している。それでもなお、年に二、三作は新作を発表する旺盛さは健在だ。

「先生、新作を拝読させていただきました。いや、相変わらず素晴らしい。ページをめくる手が止まりませんでした。しかも最後の大どんでん返し。あれにはやられました」

獅子取が早口でまくしたてる。作家を前にした時、まずは最新作を褒めまくるというのが、この人物の得意技だ。

それに対して大川端は、煩わしそうに顔の前で手を振った。

「お世辞はいいから、早く本題に入ってくれ。こう見えても、そんなに暇ではない」

「あっ、そうですね。いやあ、申し訳ございません。では早速――」獅子取は咳払《せきばら》いをしてから続けた。「じつはこのたび我が社では、文学賞を創設することになりました。これまでにない新しい発想から才能を評価していこうという賞です。その選考委員を是非大川端先生にお願いしたいのです。どうかお引き受けいただけませんでしょうか」

青山は、超ベテラン作家の様子を上目遣いに窺《うかが》った。ちょうど大川端の注文したミルクティーが運ばれてきたところだった。老作家は、もったいをつけるようにゆっくりとした動作で砂糖を入れ、スプーンでかきまぜてから一口飲んだ。

青山たちの前にもそれぞれの飲み物が並べられたが、もちろんまだ手を付けるわけにはいかない。

ふん、と大川端が鼻を鳴らした。

「君から折り入って話があるといわれた時、大方そんなことだろうと思ったよ。灸英社が新しく文学賞を創設するという噂《うわさ》は、僕の耳にも入っている」

「そうですか。それなら話が早い」

「だが今の君の話は、僕が聞いているのとは少し違うなあ」大川端は首を傾《かし》げた。

「どのように違うのでしょうか」

大川端はティーカップを置き、じろりと獅子取を見た。

「これまでにない新しい発想から才能を評価していこうという賞、といったね。しかし僕が聞いたかぎりでは、吉村新人賞や山長賞と同じく、直本賞に繋《つな》がる賞らしいということだった。もしそうだとしたら、新しい発想なんてものとは無縁だ。これまで通りの評価基準ということになるわけだが」

青山は思わず首をすくめたくなった。図星だった。さすがに文壇での人脈が豊富なだけに、大川端は裏の事情に精通していた。

「いやいや、いやいやいや」獅子取は腰を浮かさんばかりに身を乗り出し、大きく手を横に振った。「それは違います。誤解です。あっれー、どうしてそんな噂が流れてるんだろ。そんな根も葉もない噂が」

「違うのかね。僕は結構、信憑性《しんぴょうせい》のある話だと思ったがね。灸英社が今度創設する天井賞は、吉村新人賞や山長賞に対抗したプレ直本賞だと」

「でたらめです。そんなことはありません。……ていうか、先生、今何とおっしゃいました？　てんじょう賞とか」

「天井賞だろ。天川井太郎の天と井を取って天井賞。そんなふうに聞いたが」

「誰からですか」

「誰だったかな」大川端は小さく首を捻《ひね》った。「たぶん、金潮書店の広岡《ひろおか》君じゃなかったかな。彼と打ち合わせをしている時に、文学賞の話が出たから」

「先生、天川賞です。どうか、よそでお話しになる時も、略す時には天川賞とはっきりおっしゃってください。これは大事なことです」

「ふうん。まあ、どっちでもいいが」

「ともかく」獅子取は、両手をテーブルに乗せ、頭を下げた。「直本賞は別として、吉村新人賞や山長賞なんかと一緒にされては困ります。我々は独自の視点でエンタテインメントの優秀な作品を顕彰しようとしているのです。だからこそ、大川端先生に選考委員をお願いしたいと思った次第なんです。どうか一つ、お引き受け願えないでしょうか」

　大川端は気乗りのしない表情で紅茶を啜《すす》っていたが、頭を下げたままの獅子取を見て、ふっと苦笑した。

「まあ、一日二日、考えさせてもらうよ。構わんだろ。今の言葉は信用していいんだね。

独自の視点でエンタテインメントの優秀な作品を顕彰しようとしている、という言葉だ。いっておくが僕は、文学性なんて怪しげなものには興味がないからね。若い頃に二度ばかり直本賞の候補になったが、ミステリとSFを融合させようとあれこれこね回したのを、どこかの誰かが勝手に文学性とやらがあると解釈して候補に推《お》しただけだ。僕としては全く迷惑な話だった」

「いやあそうでしょうなあ。もちろんよくわかっております。文学性なんぞ、無視してくださって結構です」獅子取は頭を下げたままでいった。

「そうか。その言葉、決して忘れないでくれよ」大川端はミルクティーを飲み干すと、どうもごちそうさま、といって去っていった。

老作家の姿がラウンジから完全に消えた後、獅子取は顔を上げ、コーヒーカップに手を伸ばした。

「よし、あの口ぶりなら大川端先生は引き受けてくれそうだ。これは大きいぞ」

「でも、いいんですか。文学性は無視していい、なんていっちゃって」

「構うもんか。どうせ候補作はこっちが決めるんだ。お話にならないほど文学性に欠けたものは、最初から候補にしなきゃいい。それよりむかつくのは金潮書店の広岡だ。何が天井賞だ。おかしな呼び方をしやがって」

「天川井太郎賞を略して天井賞か……さすがに本の帯を書かせたら業界一といわれる広岡さんだ。うまいこといいますね」

「馬鹿野郎、感心してどうする。あいつの魂胆はわかっている。こっちの新文学賞が注目されたら、もろに影響を受けるのは奴のところの山長賞だ。だからそうなる前に、少しでもこっちの賞のイメージを落としておこうってことなんだ。天井賞とか呼んで、少しでもいんちき臭さが漂えばいいと企《たくら》んでやがるんだろう。全く、汚い奴だ。おい青山、会社に戻ったら、関係者全員にメールだ。賞の呼び名について周知徹底させる。正式名称は天川井太郎賞で、略称は天川賞だ。間違っても天井賞なんて呼ばせるな」

「わかりました」

「ちくしょう。こっちも何かやり返したいな。山長賞に渾名《あだな》でもつけてやるか。八百《やお》長《ちょう》賞なんてのはどうだ」

「それ、まずいっすよ。会社レベルの戦争になっちゃいます」

「だめか、やっぱり」獅子取はコーヒーを飲み干し、顔をしかめて立ち上がった。「帰るぞ。小堺が候補作の絞り込みに入ってくれているはずだ」

3

たっぷり殺して　　青桃《あおもも》鞭《べん》十郎《じゅうろう》
イソ弁・ドカ弁・大阪弁　　ドクター橋本《はしもと》
煉瓦《れんが》街《がい》諜報《ちょうほう》戦術《せんじゅつ》キムコ　　唐傘ザンゲ
皺《しわ》くちゃ少年、ぷりぷり婆《ばあ》さん　　古井《ふるい》蕪子《かぶこ》
御破算家族　　腹黒《はらぐろ》元蔵《もとぞう》

ホワイトボードに並んだ作品名を見て、獅子取は渋い顔をした。

「何だよ、これ。もっとどうにかならないのかよ」

「いけませんか」小堺が頭を搔く。

「だって『煉瓦街諜報戦術』以外は、どれもそんなに評価が高くないぜ。話題にもなってない。これじゃあまるで、唐傘さんが受賞するように仕組んでるみたいじゃないか」

獅子取の言葉に、小堺は戸惑いと困惑が混じったような表情を浮かべている。彼の気持ちが青山には痛いほどよくわかった。唐傘ザンゲは灸英社が現在最も力を入れている

作家だ。自社で文学賞を創設するとなれば、まずは彼に獲らせたいと考えるのが当然だ。つまり小堺としては、気をきかせたつもりなのだ。

「だめだよ、下手な小細工は」だが獅子取はいった。「そりゃあ俺だって唐傘さんが受賞したら嬉《うれ》しいけど、本当に出来レースにしたのでは意味がない。部内での投票結果は?」

「ここにリストがあります」小堺がいい、書類を差し出した。

獅子取はリストをさっと一瞥《いちべつ》し、ホワイトボードと見比べた。

「何だよ。もっと得票の多い作品があるじゃないか。松木秀樹《まつきひでき》さんの『一瞬でかっ飛ばせ』とか。どうしてこれを候補に入れないんだ」

「いや、それはですね」小堺があわてた様子で補足する。「松木さんは今年の山長賞受賞者なので、とりあえず遠慮しておこうということになりまして。だってほら、山長賞作家を候補にしちゃうと、こっちのほうが山長賞よりも上だってアピールしてるみたいじゃないですか。それで――」

馬っ鹿野郎、と獅子取の雷が落ちた。

「会社が勝負をかけようって時に、よその社に気を遣ってどうする? いいんだよ、それで。こっちの賞のほうが山長賞より上だってことを、大いにアピールすればいいんだ。

「わかりました。じゃあ、松木さんの作品を入れるってことで……」小堺が首をすくめていった。

「それから、あれが入ってないのもおかしいんじゃないか。清畠和博《きよはたかずひろ》さんの『アウトサイド低め』。あれは今年のエンタメ界最大の収穫だといっている人も少なくないぞ。アマゾンのレビューを見てみろ。星五つばっかりだ」

「いや、それはもちろん、挙げようという意見も出ました。ただ清畠さんはまだデビューして間がないですし、うちの賞の前に、まずは獲るべき賞がたくさんあるのではないかと思いまして。吉村新人賞とか……」

「はあ？　おまえ、何をいってるの？」

「だって、うちの天川賞は、山長賞より上に位置するものなんでしょ？　もし受賞しちゃったら、それより下の吉村新人賞とか山長賞は獲れないってことになりますよ」

「だから？　それがどうした？」

「いや、あの、それでいいんでしょうか。清畠さんのことを考えれば、そのあたりの賞も獲っていったほうが、実績という意味でプラスになると思うんですけど」

獅子取は顔面を歪《ゆが》めた。

「わかってないなあ。だからそういう気遣いは不要なの。どのみち清畠さんは、いずれ直本賞を獲る。そうなったら、それまでに獲った賞なんてどれも霞《かす》んじまうんだ。たくさんあると、余計にそうなる。だったら天川賞だけでいい」

「はあ、そうですか。では、清畠さんの作品も入れます。しかしそうなると、候補作が多すぎませんか」

「うん、そうだなあ」獅子取は改めてホワイトボードを眺めた。「『たっぷり殺して』はいらないな。これ、『いっぱい殺して』のシリーズものだろ。賞には不向きだ。『イソ弁・ドカ弁・大阪弁』も外そう。この作者って、テレビによく出てる弁護士だか芸人だかわからない奴だよな。栄えある第一回なんだから、色物はよくない。あとは『皺くちゃ』と『御破算』か」獅子取は首を一回だけ捻り、「女性作家は残そう」といった。

新たに挙げられた作品は次のようになった。

煉瓦街諜報戦術キムコ　唐傘ザンゲ
皺くちゃ少年、ぷりぷり婆さん　古井燕子
一瞬でかっ飛ばせ　松木秀樹
アウトサイド低め　清畠和博

「四つじゃ少ないか」そういって獅子取は下唇を嚙《か》んだ。「だけど『イソ弁』とか『御破算』は残せないな。当て馬なのが見え見えだ。もっと、何というか、みんなの盲点を突いたような作品を挙げたいね。あまり知られてなくて、だけど一部の人間からは評価されつつあるというような作品だ。そういうの、何かないか」

難しい注文に、その場にいる全員が黙り込んだ。無理もない、と青山は思った。そんな作品があるのなら、とっくの昔に挙がっているはずだ。

「これはどうだ」獅子取がリストを見ていった。「『深海魚の皮膚呼吸』っていう作品。投票数は少ないけど、いずれも高得点じゃないか」

「ああ、それですか」小堺が浮かない声を出した。「じつはそれ、読んだ人間が少ないんです。投票した者に聞いたところでは、恐ろしいほどに地味な作品だとか。地味で地味で、派手なところが欠片《かけら》もない。でもそれが却《かえ》って面白いとか」

「なるほど。いいじゃないか。いかにも独自色を出してるって感じがする。よし、これでいこう。これで決まりだ」

というわけで最後の候補作として、『深海魚の皮膚呼吸』が加えられた。

4

ある夜、都内の某ホテルで文壇絡みのパーティが催された。青山も、獅子取らと共にスーツ姿で出席した。

この手のパーティでは、青山たち出版社の人間は、めぼしい作家を見つけては挨拶に回るというのが通常の行動だ。ところが今夜は違った。獅子取と一緒にいると、作家のほうから声をかけてくるのだった。

「ねえねえ、聞いたわよ。おたくでも文学賞を作ったそうね」派手な洋服を着た、ベテラン女流作家が近寄ってきた。「天井賞とかいうんでしょ。なんだか、その賞を獲ったら才能が頭打ちになりそうだって、みんないってるわよ」

「先生、先生。違います、違います。天井賞ではなくて、天川賞。間違えないでください」獅子取は懸命に訂正する。「一体、どこで誰がそんなことを……」

「あらそうなの。まあいいわ、そんなことどうでも。それより、どうして私の作品を候補にしてくれないのよ」

がははは、と獅子取は笑った。

「先生、それは勘弁してくださいよ。あくまでも中堅作家の作品が対象ですから。先生のように功成り名遂げた方の作品を挙げる場ではありません」

「あら、私だってまだ中堅のつもりよ。大きな賞なんてもらってないし。ほしいわあ」

「わははは、何をおっしゃいますやら。いやいや、どうもどうも。ではまた後ほど」

獅子取は後ずさるように女流作家から離れ、「やべえ、やべえ」と小声でいった。

「あの先生、半分はマジなんだよな。ミステリブームに乗って売れっ子にはなったけど、賞を獲ってないことが未《いま》だにコンプレックスになっているらしい。今日は顔を合わせたらまずいと思ってたんだ」

「へええ」文学賞を作ったら、いろいろと苦労があるのだなと青山は改めて思った。

そこへ、「おい、獅子取」と現れたのは、警察小説の第一人者、玉沢義正だ。

「おまえのところで今度、文学賞を作ったそうじゃねえか。名称は何でも――」

「天井賞じゃありませんよっ」獅子取が先にいった。

「天井賞？　いや、俺が聞いたのは、天丼賞だけど」

「てて、てんどん賞？」

「何だか、うまそうな賞じゃねえか。受賞したら、天丼食い放題なのか」

「やめてくださいよ。そんなわけないじゃないですか。天川賞です。天川井太郎賞です」

「そうなのか。みんなは天丼賞っていってるけどな」

「まさか。みんなって、誰です」

「みんなといったらみんなだ。それよりさあ」玉沢は声を落とした。「唐傘のことをうまく売っていく自信があるんだろうな」

えっ、と獅子取は目が丸くなった。「どういう意味ですか」

またまたあ、と玉沢は獅子取の胴体を肘で突いた。

「おまえたちの魂胆はわかってるんだよ。唐傘に受賞させて、直本賞への足がかりにさせようってことだろ。そのためだけに作ったとはいわないが、そういう使い道もあるってことで新しい文学賞を作った。そうだろ？」

「いや、玉沢さん、それは違いますよ。僕たちは、もっと純粋な思いから……」

「ふざけるな。おまえのむさ苦しい顔で純粋な思いとかいわれたら気色悪いじゃねえか。まあいい。本音はしまいこませてやるよ。そのかわり、若い作家を振り回さないようにしてくれよ」玉沢は獅子取の肩をぽんと叩き、去っていった。

玉沢の後ろ姿を見送り、さすがだなあ、と青山は思った。灸英社が新しい文学賞を創設した狙いを完璧に見抜いている。二十代からこの世界で生きているだけのことはある。

その後も何人かの作家や評論家が獅子取に声をかけてきた。話題はやはり文学賞創設のことだ。ところが彼等の三人に一人は、『天井賞』と呼んでいた。そして残りの人間はすべて、あろうことか『天丼賞』だと思い込んでいた。

くそー、と獅子取は唸《うな》った。「どこかで情報操作をしている奴がいる。見つけたら、ただじゃおかんぞ」

やがてその最有力容疑者が向こうからやってきた。金潮書店の広岡だ。インテリ風の痩せた顔に、金色のフレームの細い眼鏡《めがね》をかけている。

「やあ、獅子取君、お久しぶり。元気だった？」柔らかい口調が広岡の特徴だ。

「あっ、広岡さん。どうも、お久しぶりです」とりあえず出版界では先輩なので、獅子取も下手《したて》に出た物言いをした。

「何か、いろいろと話題になってるね。天川井太郎賞か。やるじゃない、灸英社も」

「ええ、まあ」獅子取は当てが外れたような顔になっている。広岡が、賞の正式名称をいったからだろう。裏で『天丼賞』とか『天井賞』とか吹聴《ふいちょう》していることはおくびにも出さない。獅子取とは違うタイプの策士なのだろう。

「候補作を見たけど、なかなか思い切ったラインアップだね。ああいうところを突いてくるとは思わなかった。まさかその、山森長次郎賞受賞作家を持ってくるとはね」広岡の目が冷徹そうに光った。「もしかしたら灸英社さんは、こういうことの運営には慣れてないのかなあ、なんてことも思ったんだけど」

いえいえ、と獅子取は余裕の表情でかぶりを振った。

「今回のうちの賞のコンセプトは、ほかの文学賞のことは一切考えない、なんです。だから候補作を選ぶ時も、どの作家がどんな賞を獲ってるかなんてことも、全く調べませんでした。だから責任者である私にしても、よく知らないんです。そうですか、今回の候補作の中に山長賞作家の作品がありましたか。すみません、私、山長賞のことって、よく知らないんですよねえ」

広岡の青白い頬が強張《こわば》った。そのまま引きつった笑いを浮かべた。

「なるほど。それを聞いて安心した。そういうことなら、こっちも気を遣わなくていいということだからね」

「というと？」

「いや、ほかでもない。唐傘さんのことだ。そろそろ唐傘さんの作品を山長賞の候補にっていう話が社内で出てきているんだ。だけどもし先に天川井太郎賞を受賞しちゃったら、候補にしていいのかどうか判断が難しいと思ってたんだよ。序列的にどこに位置する賞なのかわからなかったものでね。でもそんな序列は関係ないということなら気が楽だ。今回の結果がどうあれ、唐傘さんをうちで候補にできる。いや、よかったよかった」そういうと広岡は金縁眼鏡をかけ直し、ぷいと横を向いて歩きだした。

「いいんですか、獅子取さん。なんか、金潮書店を敵に回しちゃった感じですけど」青山は訊いた。

「なあに、構うもんか。やられたらやり返すだけのこと。これで騒ぎになればしめたものだ。宣伝になるからな」獅子取は、開き直ったようにいった。

それから間もなくしてやってきたのは剛談社の沢中《さわなか》という部長だ。この男も広岡と並んで、業界ではやり手で知られている。

「広岡君から聞いたよ。今度新しく作った賞は、従来の序列とは無関係だそうだね。それを聞いて、うちも安心した。というのは、清畠さんの『アウトサイド低め』が候補になってるのを見て、じつは困ってたんだ。うちの吉村文学新人賞で候補にするつもりだったからね。でも天川井太郎賞というのは、序列からは外れた、いわば亜流の賞ということなら話は別だ。もし『アウトサイド低め』が受賞しても、遠慮なくこっちの候補に挙げられる。いいねえ。そういう番外編の賞というのも悪くない。真剣勝負の賞ばかりじゃ疲れるからね。遊び心満載のエキシビションゲームみたいなものだな。勝負は二の次。うん、いいじゃないか。いいね、いいねえ」

沢中は一方的にまくしたてると、不敵な笑い声を残し、獅子取の背中をばんばんと叩いて去っていった。

青山は、おそるおそる獅子取を見た。彼は無表情だった。あれだけいわれても、少しも動じている様子がない。さすがだな、と思った。だが次の瞬間、頭から湯気が出ているのがわかった。固めた両手の拳も、わなわなと震えている。

「くそう、何が亜流だ、何が番外編だ、何がエキシビションゲームだ」獅子取は地獄の底から聞こえてくるような声でいった後、青山、と怒鳴った。「何としてでも、天川賞を成功させるぞ。わかったな」

迫力に押され青山は、はい、と弱々しく答えていた。

5

十月、灸英社にとって記念すべき日が訪れた。第一回天川井太郎賞の選考会が行われるのである。会場には、日本橋《にほんばし》の料亭が選ばれていた。

青山は小堺と共に、近所の喫茶店で待機する側に回った。記者会見は銀座のホテルで開かれることになっている。

「一体どうなるだろうな。全く予想がつかないよ」小堺が煙草の灰を灰皿に落としながらいった。

「獅子取さんは、俺に任せろって感じでしたよ」青山はいった。今日の選考会の司会進行役は獅子取なのだ。

「唐傘さんが受賞するように話を持っていくっていうんだろ？　無理だって。いくら獅子取さんでも、選考委員をコントロールすることは不可能だよ。あの人たちには、何の思惑も打算もない。ただ純粋に、自分が気に入った作品を推すだけなんだ。それだけに簡単には意見を変えない」

「そうなんですか。じゃあ、難しいかもしれませんね」

「でも唐傘さんの目がないわけじゃない。獅子取さんの誘導なんかに選考委員は引っからないというだけのことだ。連中のお眼鏡にかなう可能性はあると俺は見ている」

「だとしたら、最高の結果ですよね。唐傘さんにとっても、飛躍のきっかけになるかもしれない」

「他社からは出来レースじゃないのかって冷やかされるだろうけどな」

「唐傘さんじゃないとすれば、誰ですかね」

青山の問いかけに、小堺は腕組みをした。

「唐傘さんじゃないなら、うちとしては清畠さんに獲ってもらいたいな。今回の『アウトサイド低め』で完全にブレイクしたけど、うちはまだ作品を書いてもらってない。受賞となれば、いろいろと仕事を頼みやすいし」

さすが実践型の編集者だけあって、先のことを読んでいる。

「松木秀樹さんはどうですか」

「もちろん、そっちも悪くない」小堺は指を鳴らした。「今や、飛ぶ鳥を落とす勢いだもんな。次の直本賞は確実だっていわれている。その前に受賞ってことになれば前祝いになって盛り上がるし、ついでに天川賞の知名度も上がるってもんだ」

「あとの二人はどうですか」

「あとは……そうだなあ」小堺は口元をへの字に曲げた。「一方はオタクにしか人気のない乙女チックファンタジーで、もう一方は全く無名の年寄り作家の地味な作品か。どっちが獲っても、うちとしては大打撃だよ。メリットが何もない。何のために賞を創設したのか、わけがわかんなくなっちゃう。派手な受賞パーティだって予定されてるしさあ。そんなことにはならないよう祈るしかない」

先輩の話を聞き、文学賞を創設するって大変なことなんだなと青山は改めて思った。

相当の覚悟がいる。

そして待つこと一時間あまり、小堺の携帯電話が鳴った。思ったよりも早い。

「はい、小堺です。……あっ、はい。……えっ、マジっすか。……はい、ああ、わかりました」電話を切った後、小堺はやや呆然《ぼうぜん》とした様子で携帯電話を見つめている。

「どうでした？　結果が出たんじゃないんですか」青山は訊いた。

「深海魚だってさ」

「えっ」

「『深海魚の皮膚呼吸』。俺たちがあまりよく知らない作家の、全く話題にもなってない本だ」小堺は携帯電話を内ポケットに入れ、力なく首を振った。「せっかく文学賞を創設したっていうのに、この結果かよ。天川賞もこれで終わったな」

6

「参ったよ。あんな展開になるとは夢にも思わなかった。満場一致だぜ。大川端先生なんか、最初から最後まで一直線だ。殆《ほとん》ど議論にならない。せめて二作受賞のセンはありませんかと粘ったんだけど、だめだった。受賞作って、そんなに面白いのかなあ。とりあえず読んでみなくちゃなあ。くそー、何もかも計算が狂っちまったじゃないか」会場から出てきた獅子取は、負けたプロ野球監督のように情けない表情で愚痴をこぼしまくっていた。

第一回天川井太郎賞受賞作『深海魚の皮膚呼吸』を書いたのは、大凡《おおよそ》均一《きんいち》という作家だった。数年前に『殺意の蛸足《たこあし》配線』という作品で小さな新人賞を受賞し、デビューしている。その後、勤めていた市役所を二年前に退職し、専業作家になったということだった。著作は、『深海魚――』で六冊目。いずれも小さな出版社から出ている。だがこれまでに青山が評判を耳にしたことはなかった。おそらく数千部止まりだろう。炎英社からは一冊も出ていない。

受賞の連絡をした小堺の話によれば、「特に感激している様子もなかった」ということだった。

「おめでとうございますっていってるのに、ああそうですか、だぜ。テンションが低いの何の。まっ、無理ないかもな。できたばかりで、知名度が全くない賞だもんな。貰《もら》ったって嬉しくないってことなんだろ。それにしても選考委員、もうちょっと空気を読んでくれよなあ。受賞者は六十近いんだろ。新しく賞を作ったんだから、もう少し盛り上がるように選んでくれりゃいいのに」小堺も獅子取と同様、いつまでも未練がましかった。

大凡均一の住所は埼玉の川口市《かわぐち》となっていた。九時からの記者会見に間に合うよう、青山がハイヤーで迎えにいくことになった。

目的の家は、いかにも市役所職員が作りそうな、こぢんまりとした日本家屋だった。表札に、『大凡』とあった。どうやら本名らしい、青山は玄関のインターホンを鳴らした。

はい、という男性の声。

「灸英社の者です。お迎えにあがりました」

「はい。お待ちしておりました」

間もなく玄関のドアが開いた。現れたのは、背の低い六十歳ぐらいの男性だった。きちんとネクタイを締め、スーツを着ている。

どうぞ、といわれたので、青山はドアをくぐった。家の中に入ると、かすかに線香の匂いがした。

「灸英社の青山といいます。このたびはおめでとうございます」名刺を出した。

「大凡です。ありがとうございます。わざわざ拙宅《せったく》までお越しいただき、恐縮です」

淡々とした口調だ。その顔にも、特に喜びの色はない。

大凡も名刺を出してきた。そこに肩書きは何もなかった。専業作家なのだから当然ではある。少し前まで公務員だった人間が、肩書きのない名刺を持つ気分はどんなものだろうと青山は思った。

「では大凡さん、私が会場まで御案内させていただきます」

「いや、あの、そのことでちょっと……。じつは、妻が同行したいといってるのですが、構わないでしょうか」

「奥様が？　ええ、もちろん構いませんが」

「そうですか。では、呼んできます」大凡は一旦《いったん》奥に消えた。

青山は室内を何気なく見回した。壁の染みや柱の傷が、家の年季を感じさせる。

年代物の靴箱の上に、小さなトロフィーが飾られていた。台座に彫られた文字を見て、はっとした。『第一回新世紀ミステリ文学賞　殺意の蛸足配線　大凡均一殿』とあった。

新世紀ミステリ文学賞――今は存在しない新人賞だ。二回か三回で頓挫したらしい。だが大凡は、その受賞トロフィーを今も大切にしている。

その時だった。奥から声が聞こえてきた。

「早くしなさい。出版社の方をお待たせしているんだ」大凡の声だ。

「でも、これだけはきちんとしないと。仏壇にお供えを……」女性が答えている。大凡の妻だろう。「だって、ようやく大きな夢が叶《かな》ったんだから」

ぎくりとした。線香の匂いがしているのは、受賞を先祖に報告しているからなのだ。

青山は、そっと奥の様子を窺った。

向こう側の襖《ふすま》に、二つの人影が映っていた。大凡夫妻らしい。二人は立っている。その二つの人影が、不意に一つに合わさった。どちらも声は発していないが、抱き合っているのは間違いなかった。

青山は思わず首を引っ込めた。くるりと踵《きびす》を返し、玄関ドアのほうを向いた。

小堺は勘違いをしている。知らせを受けた時に、大凡が素直に喜びの声を上げられなかったのは、嬉しくなかったからではなく、実感が湧かなかったからに違いない。それだけ感激が大きかったのだ。

間もなく、「お待たせしました」と大凡の声が聞こえた。青山は振り返った。

大凡の後ろに、和服姿の女性が立っていた。髪を奇麗にまとめ、年齢に応じた上品な化粧をしていた。その目には涙の跡があった。

「このたびはおめでとうございます」青山は彼女に向かって深々と頭を下げた。

「ありがとうございます」彼女は小声で答えた。

「御同行されるのは奥様だけでしょうか。お子様は……」

するとと大凡が小さく首を振った。

「子供はおりません。出来なかったんです」

「あ、そうですか」悪いことを訊いたかな、と後悔した。

「ずっと、二人でやってきました」大凡は妻のほうをちらりと見た。「本が売れなくてもやってこれたのは、妻のおかげです。二年前に市役所を辞めた時も、妻と二人で相談して決めたんです。あの時の決断が間違ってなかったことが今夜証明されました」

青山は頷いた。「本当におめでとうございます」もう一度いった。

家を出て、ハイヤーの運転手に目で合図をした。運転手が素早くドアを開ける。

夫人、そして大凡の順に車内へと導いた。

青山は自分で助手席に乗り込み、シートベルトを締めた。その時、ちらりと後部席に目をやった。

初老の夫妻は、遠慮がちに手を繋いでいた。

青山は前を向いた。このことを獅子取や小堺にも報告しなければ、と思った。

どんな経緯や思惑があって創設されたにせよ、文学賞というのは作家にとって特別なものなのだ。その受賞を生涯最高の励みとする作家がいたとしても不思議ではない。そのことを自分たちは決して忘れてはならない。

この賞を守っていこう、多くの作家から目標とされるものにしていこう——青山は心に誓ったのだった。

ミステリ特集

1

　神田から席に呼ばれた時、青山は何となく嫌な予感がした。声に媚《こ》びたような響きがあったからだ。頼みがある、とかいわれたら要注意だ。以前、中学生の社内見学の案内役をやらされたことがある。あの時には、ひどい目に遭った。

「何でしょうか」神田の机の横に立ち、青山は訊《き》いた。

「いやあ、じつは」神田は愛想笑いを浮かべた。「頼みがあるんだ」

　しょっぱなからこれだ。えー、と思わず顔を歪《ゆが》める。「何ですか」

「そんなに嫌そうな顔をしなくてもいいじゃないか。ちょっと困ったことになっちゃったんだよ」

「まさか、また中学生の相手をしろとかいうんじゃないでしょうね」

「違うよ、全然違う。次のミステリ特集のことなんだ」

「何か？」

真面目《まじめ》に話を聞く気になった。青山は灸英社『小説灸英』編集部に属していて、神田は編集長だ。そして次号の『小説灸英』では、短編ミステリの特集をやろうということになっていた。すでに十人の作家には原稿を依頼してある。十人十色ということで、ジャンルが被《かぶ》らないように配慮して人選した。ひと口にミステリといっても、様々なジャンルがあるのだ。

「じつはさ、長良川《ながらがわ》先生が入院しちゃったらしいんだ。胃潰瘍でさ。あの先生、酒好きだからなあ」

「そいつはまずいですね」

事情がわかった。長良川ナガラは本格ミステリ界を代表する作家だ。今回の特集号でも目玉の一つになるはずだった。

「だろ？　だから大至急、代わりの作家を見つけなきゃいけないんだけど、適当な人が思いつかなくてさ」

「今からだと苦しいですね」青山は腕組みをした。締切まで二週間もない。

「ベテランは論外。中堅でも、実績のある人は無理だ。といって、旬を過ぎちゃった作家の名前を並べるのはなあ」

「あの人はどうですか。先日、天川井太郎賞を獲《と》った大凡均一さんは。あの方なら、本格ものも書けると思いますよ。読者にとって、新鮮味もあると思うし」

「だめだよ。忘れたのか。大凡さんは、すでに十人の中に入っている」

「あっ、そうだっけ」青山は自分の手帳を広げた。そこには今回の特集号で依頼した作家の名前が並んでいる。たしかに、大凡均一の名もあった。「ほんとだ」

「この機会に未経験のジャンルに挑戦したいってことだったから、本格の候補からは大凡さんは外したんじゃないか」

「そういえばそうでしたね。大凡さんがだめとなると……」改めて手帳を見る。「今から声をかけるとなれば、若手でしょうね」

「俺もそう思って、これまでに唾をつけておいた新人作家何人かに電話してみたんだけど、全員から断られた。みんな、今からじゃとても無理だっていうんだ。ほかにも締切を抱えているらしくてさ。注目されている新人には、やっぱり原稿依頼が集中するみたいだな」

青山は頷《うなず》いた。「そもそも本格系の作家は書くのが遅いですしね」

「というより、本格は手間がかかるらしい。困ったな。ミステリ特集をやっておいて、本格ミステリが入ってないってのはおかしいぞ。何とかしなきゃいかん」

神田のいうことは尤《もっと》もだった。トロを置いてない寿司屋みたいなものだ。

「じゃあ、こういうのはどうでしょうか。全く違うジャンルでデビューした若手作家に、本格を書かせてみるんです。もしかしたら意外にいけるかもしれませんよ」

　だが神田は、うーむ、と難しい顔をした。

「それはどうかな。ほかのジャンルと違い、本格ミステリは特殊だからなあ。おいそれとは書けないような気がする」

「でもほかに手はありませんよ。早く声をかけないと、どんどん時間がなくなっていきますし」

「それもそうだよなあ」神田は眉間に皺《しわ》を寄せ、しばらく天井を見上げた後、よし、と首を縦に振った。「その案、採用だ。誰に書かせるかは君に任せる」

「わかりました」答えながら、厄介なことになっちゃったなあと思った。しかし断るわけにはいかない。神田は上司なのだ。


「大体、こんなところかな」そういって小堺は一枚のメモ用紙を差し出した。

　青山はそれを受け取り、中身を確かめた。そこには五人の名前が並んでいる。

　ありがとうございます、と彼は先輩にまず礼をいった。

「大した面子《メンツ》じゃなくて申し訳ないけど、何しろ締切まで時間がないからなあ。せめて一か月あれば、もう少しましな顔ぶれを揃《そろ》えられたと思うよ」

「いえ、無理をいってすみませんでした。助かります。この五人の方に、順番にお願いしてみます」

　ミステリ特集の穴埋めを誰に頼むか、若い青山には決められなかった。売れっ子や注目作家についてはよく知っているが、無理なスケジュールの仕事を受けてくれそうな作家、つまりあまり売れていない作家となると知識がない。そこで書籍出版部時代の先輩である小堺に相談したのだ。

「でも、どうなるかは保証できないぜ。何しろ、本格なんて書いたことのない連中だからな。読んだこともないかもしれない」

「とりあえず当たってみます。もしかしたら掘り出し物が見つかるかもしれませんし」

「まあ、あまり期待しないことだ。特に五番目の人には用心したほうがいい。本人はハードボイルドを書いているつもりらしいけど、じつはとんでもない小説だから」

「そうなんですか」どんな小説なのか、逆に気になった。

　席に戻り、早速電話をかけることにした。メモに記された五人の作家については、名前は知っているが、作品は殆《ほとん》ど読んだことがなかった。しかし、そうだとは気づかれないようにして、話を進めていかねばならない。やや緊張を強いられる作業だと思われた。

だが実際には、緊張する暇さえもなかった。本格ミステリを書いてほしいといっただけで、即座に断られたからだ。

「あたしに本格ミステリを書けって？　そんなの無理に決まってるでしょ。トリックとか考えられないから、心理サスペンスを書いてるわけ。ごめんなさいね」

「悪いけど、本格は嫌いなんだ。密室とかアリバイとか、ちまちましたことは俺の性に合わない。ほかを当たってくれ」

「すみません。僕は人間ドラマを描《えが》きたいんです。トリックは二の次なので」

「せっかく声をかけてくださったのに申し訳ないのですが、私は自分のことをミステリ作家だとは思っていません。ましてや本格なんて論外です」

四人から断られ、あっという間に選択肢が減ってしまった。残るは一つ。

この人も見込みはないかな――名前を見ながら電話番号を調べた。熱海圭介。灸英社の新人賞を獲ってデビューしている。作品名は『撃鉄のポエム』。青山は読んだことがなかった。

何とか引き受けてくれないかな、と祈るような気持ちで電話をかけた。

2

待ち合わせの時刻より五分早く行ったのに、すでに喫茶店の奥の席には熱海圭介の姿があった。座って本を読んでいる。写真で見たとおり、やや毛深く、暑苦しい感じの人物だった。パーティ会場でも見かけたことがあるような気がした。

青山は急いで近づき、挨拶した。遅刻したわけではなかったが、遅くなってすみませんと詫《わ》びた。

いや、といって熱海はあわてた様子で本を閉じようとした。だがどう手元が狂ったか、ばさりと本が床に落ちた。その拍子に書店名の印刷されたカバーが外れ、本のタイトルがちらりと見えた。

「あっとっと」熱海は急いで拾い上げ、傍らに置いてあった袋に放り込んだ。その袋にも書店名が入っていた。買ってきたばかりらしい。

青山は名刺を出して自己紹介した。すぐにウェイトレスが来たのでコーヒーを注文した。

「ええと、それで」青山の声がかすれた。咳払《せきばら》いをしてから続けた。「お電話でお話しした件ですが、お引き受けいただけるということでいいんでしょうか。あのその……本格ミステリの短編を書いていただけるということで」

熱海は頷き、コーヒーカップを持ち上げた。

「もちろん、それで結構です。書きますよ。本格ミステリを」心なしか声が震えている。

「それを聞いて安心しました。無理なことをお願いして申し訳ありませんでした」

「ただ、その、何というか……青山君は具体的に、どういった作品をイメージしているのかな。たとえば舞台とか、登場人物とか、それからええと」熱海は唇を舐《な》めた。「どんなトリックか、とか」

青山は相手の顔を見返し、瞬《まばた》きした。「イメージ……ですか」

「いや、何もないのならそれでいいんだけど、もし何か要望があるのなら聞いておこうと思ってね。書き上げてから、欲しかったのはこういうものじゃなかった、なんて思われたくないからさ」

「いえ、そんなことは」青山は手を横に振った。「そんなことはありません。お好きなように書いてくださって結構です」

「そう？　そういうことなら、まあ、好きに書かせてもらおうかな」

「それで結構です。楽しみにしております」

原稿枚数や今後の進行などについて細かく説明した後、「では、よろしくお願いいたします」といって青山は喫茶店の伝票を手にした。その時だった。

「みっしつ、でいいんだよね」熱海が呟《つぶや》いた。

「えっ？」青山は訊き返す。

だから、といってから熱海は周囲を見回し、声を低くして続けた。「みっしつってことでいいんだよね。本格ミステリってのは」

青山は一瞬焦った。熱海が何をしゃべっているのか、わからなかったからだ。だが少し考えて、「みっしつ」が「密室」のことだとわかった。

「密室ものに挑戦されるおつもりですか」慎重に訊いた。

「だって、それが本格でしょ？」自信なさげに熱海は答えた。

青山は椅子に座り直した。

「たしかに密室トリックは本格ミステリの王道といえますが、本格とはそれだけではありません。それに密室ものはこれまでにたくさん書かれていて、アイデアは出尽くしたといわれているんです。初めて本格を書こうとする方が扱うのは、ちょっと危険かなと思います。もっとほかの謎を追う作品で大いに結構です。こんなことをプロの方に申し上げるのは非常に僭越《せんえつ》なのですが……」

熱海は何度か瞬きした。「ほかの謎……密室じゃなくて？」

「もちろん、これまでにない斬新な密室トリックがあるということでしたら、何も問題ないわけですが」

熱海の視線は宙を彷徨《さまよ》っているようだった。その表情は、どことなく迷子の子犬を連想させた。

あのう、と青山はいった。「やっぱり本格は気が進まないということでしたら、無理にとは申し上げませんが……」

えっ、と熱海は目を見開いた。「いやっ、いやいやいや」激しくかぶりを振った。「そんなことはないよ。何をいってるんだ。気が進まないのなら初めから断ってるよ。そうじゃなくて、アイデアがいっぱいありすぎるから、どれを書こうかなと迷ってるんだ。大丈夫、大丈夫」そして最後に、ははははは、と笑った。

「お願いしてよろしいんですね」

「もちろんだよ。任せてくれ」

「では原稿をお待ちしております」

熱海と別れ、喫茶店を出た青山は、胸に暗い雲が広がっているのを感じた。本当にあの作家に任せて大丈夫だったのだろうか。しかしもはや後戻りはできない。

熱海の代表作である『撃鉄のポエム』を読んだのは、執筆依頼の電話をかけた後だった。細かい打ち合わせをする前に、一冊ぐらいは読んでおかないとまずいと思ったのだ。本の帯には新人賞受賞作という文字と『正統派ハードボイルド巨編』というキャッチフレーズが上下に並んでいた。当然のことながら、期待して読んだ。

だが読み進むうち、妙な汗が額に滲《にじ》んできた。同時に鳥肌が立った。

残念ながら、作品に感動したからではなかった。今時、こんな古臭いハードボイルドを書く人間がいたのかと驚き、次にはこんな本を我が社が出版したのかと思うと恥ずかしくなったのだ。

いや、古臭いハードボイルドという言い方は正しくない。それでは古典を馬鹿にしたことになる。「古臭い」から、「古」の字を除外して、「臭いハードボイルド」いや、「臭いハードボイルドもどき小説」というのが妥当かもしれない。たとえば地の文にはやたらと比喩が多いのだが、それがあまり的確とはいえないのだ。『潜水艦のスクリューみたいにウォッカトニックの氷をぐるぐるとかきまぜた』なんていう表現が出てくる。しかもストーリーにしても登場人物たちにしても、リアリティが全くない。主人公の刑事が米軍から軍用ヘリを盗みだし、敵のアジトに乗り込むといったシーンでは、読んでいて悲しくなった。なぜあんな作品が新人賞を受賞できたのか、まるで理解できない。

「あの時は選考委員がどうかしていたんだ」青山の疑問に、小堺はこう答えた。「候補作が駄作ばっかりだったから、やけくそで一番とんでもない作品を選ぼうってことになったらしい」

青山は頭を抱えた。そんなことがあっていいのか。それにしても小堺は、なぜそんな作家をリストに加えていたのか。熱海に電話をかける前に作品を読まなかった自分に非があることはわかっているが、一言文句をいわずにはいられなかった。すると小堺は、「ほかには思いつかなかったんだ。でも用心したほうがいいとはいっただろ」と、しれっと答えたのだった。

大丈夫かなあ、あの作家に書けるかなあ――改めて心配になった。やたらと密室に拘《こだわ》っていたが、もしかしたら本格ミステリといえば密室しか知らないのではないか。

喫茶店で熱海圭介が読んでいた本のタイトルが瞼《まぶた》に蘇《よみがえ》った。本のタイトルは、『ミステリ小説の書き方』というものだった。

3

パソコンの前で胡坐《あぐら》をかいていた熱海は、そのままごろりと横になった。ふうーっと太いため息をつく。脳みそは疲れているが、画面上に文章は一行も書かれていない。何行か書いてみたのだが、行き詰まって消したのだ。そんなことを繰り返している。

だめだ、書けそうにない――。

頭を掻《か》きむしった。天井を睨《にら》んでみるが、良いアイデアなど出そうになかった。やっぱり断るべきだったかなあと後悔の念が頭をもたげてくるが、懸命に抑えた。今さらいったって遅いのだ。それに引き受けたのは、やむをえない事情があるからだ。

その事情とは、はっきりいってお金である。貯金が底を尽きかけている。おまけに高額の買い物をした時のローンが、まだ残っている。

数か月前、失恋をした。相手は女性編集者だった。向こうもその気があるような素振りをしていたのでプロポーズをしたら、じつは既婚者だった。おそらく俺の原稿がほしくて色目を使っていたのだろう、と今は解釈している。忌々《いまいま》しいことに、ローンを組んでまで買った品物とは、プロポーズの時にプレゼントするつもりだったダイヤの指輪だ。裏に相手の名前を刻印してしまったので、質屋に売ることもできない。

ショックで、しばらくは何も手につかなかった。仕事をする気にもなれなかった。それでたまに来る執筆依頼も断っていたら、やがてはどこからも仕事の話が来なくなった。当然、収入はない。やばいなあと思っていたところへ、今回の話が飛び込んできたのだ。

本格ミステリと聞き、正直いってうろたえた。びびったといってもいい。熱海にとっては、まさに未知の領域だった。無論、そういうジャンルの小説が存在し、多くのファンを獲得していることは承知している。だが自分には無縁だと思い、これまでは近寄らないようにしてきた。

ただし熱海も本格ミステリといわれる小説を読んだことがないわけではない。しかし最後まで読んで、面白いと思ったことは一度もなかった。というより、ストーリーを把握できないままに終わることが多かった。最後で謎解きらしきことがされても、その内容を理解できないので、フラストレーションが溜《た》まるだけなのだ。

だが事態は逼迫《ひっぱく》している。今この状況で短編依頼の話はありがたかった。締切まで時間がないというのも、考えようによってはラッキーだ。すぐに雑誌が出版されるわけだから、原稿料が入ってくるのも早い。

なあに、何とかなる。俺はプロだ。他人に書けて、俺に書けないわけがない――青山から電話で依頼された時、ほんの数秒の間に、そうした思いが脳裏を駆け巡った。やらせてもらいましょう。気がついた時には、そう答えていた。

しかし電話を切った後で焦りが迫ってきた。本格ミステリなんて、どう書いていいのかさっぱりわからない。

悩んだ末、青山との打ち合わせ前に飛び込んだ先が本屋だった。そこで一冊の本を見つけた。今の熱海を助けてくれそうなオーラを纏《まと》った本だった。タイトルは、ずばり『ミステリ小説の書き方』で、日本ミステリ作家協会編著となっている。内容は、協会に所属する五十人の作家が自分の執筆方法を披露するというものだ。その中には本格ミステリの書き手として有名な作家の名前もあった。

本を開くと、まず『まえがき』があった。日本ミステリ作家協会の理事長である玉沢義正が次のように書いていた。

『本書は、これからプロを目指す人のみならず、すでに書いている我々にとってすら、じつに有用で有効だ。私自身、多くのことを改めて学んだ。誇りを持ってお薦めする。』

おう、と感激した。警察小説の第一人者がここまで断言している。頼もしいかぎりではないか。

ところが、である。

中を読んでみると、これが全く役に立たない。たとえば今回熱海が穴埋めをする原因を作った長良川ナガラという作家は本格ミステリの名手で、この本では『実例・アイデアから作品へ』というテーマで論を展開させているのだが、読んでもちっとも参考にならないのだ。わざわざ自作のネタばらしまでして執筆の経過を教えてくれているのは親切だが、肝心の発端となるトリックの案出については、『風呂に入っている時に思いついた』と書いてあるだけなのだ。曰《いわ》く、『トリックは机に向かって唸《うな》っていてもなかなか浮かんでくるものではなく、仕事から離れている時に、前触れなく飛来する』ということらしい。

熱海としては愕然《がくぜん》とするしかない。こっちは、トリックを捻《ひね》りだす秘技が知りたいのだ。飛来する、とかいわれても途方に暮れるだけだ。

同書では、長良川ナガラの友人であり、新本格ミステリの開拓者といわれる糸辻竹人《いとつじたけと》も、『トリックの仕掛け方』というテーマでインタビューに答えている。ところが、これがまたひどい内容だった。まずいきなりインタビュアーが次のように訊く。

『今回はトリックの仕掛け方というテーマでお話を伺います。こうすれば誰でもすごいトリックが作れる、というものを教えていただけますか』

熱海は本を持ったまま、思わず身を乗り出した。これだよ、これ。こういうのを求めていたんだ――。

ところがそれに対する糸辻竹人の答えは次のとおりだ。

『そんなノウハウがあったら、僕のほうが教えてほしい（笑）』

何じゃこりゃあ、と熱海は思わず叫んだ。

この糸辻竹人のコメントはほかにもあって、『作家志望の方に何かアドバイスはありますか』という質問に対し、こう答えている。

『たとえば「推理小説の書き方」みたいなＨｏｗＴｏ本は、あまり当てにしないほうが良いと思います』

それを読み、熱海はさらに頭に血が上った。役に立たないとわかっていて、こんな本を出版しているのか。まるで詐欺に遭った気分だった。日本ミステリ作家協会にはまだ入会していないが、たとえ勧誘されても入ってやるものかと思った。くそっ、玉沢義正め――。

とはいえ、今はそんなことを怒っている場合ではない。何とかして本格ミステリを、いやそれらしきものでもいいから捻り出さねばならないのだ。本格といえば密室だ。密室トリックを考え出さねばならない。青山は密室を出さなくてもいいようなことをいっていたが、それでは何を出せというのか。そっちを考えるほうがよほど難しい。

起き上がって再びパソコンに向かった時、携帯電話が鳴りだした。出てみると、その青山からだった。

4

「勝手をいいまして、本当に申し訳ありません」喫茶店で顔を合わせるなり、青山は頭を下げてきた。

「ええと、それでどういうことなの？」熱海は尋ねた。「事情がよくわからないんだけど」

「ええ、ですから電話で申し上げた通り、熱海さんには好きなものを好きなように書いてくださって結構だ、ということになったんです」

「本格ミステリじゃなくてもいいってこと？」

「そうです」

「ふうん……どうしてまたそういうことに？　ミステリ特集をしたいけど、本格を書ける人がいなくて困ってるって話だったけど」

いやあそれが、と青山は顔をしかめた。「泣きついてきた人がいるんです」

「えっ、どういうこと？」

じつは、といってから青山は人差し指を唇に当てた。「これ、内緒ですよ」

うん、と熱海は身を乗り出した。何だか面白そうだ。

「大凡均一さんを御存じですか。先日、天川井太郎賞を受賞された方ですが」

「ああ、『深海魚の皮膚呼吸』を書いた人ね」声に不機嫌さが混じってしまった。

その賞については熱海としては一言いいたかった。なぜ自分の作品が候補に上がらなかったのか、と。しかし今はそんなことはどうでもいい。

「あの人が泣きついてきたわけ？」

そうなんですよ、と青山は口元を曲げた。

「最初にミステリ特集の話をしたところ、自分はこれまでとは全く違うジャンルに挑戦したいとおっしゃったんです。それでこちらもそのつもりでいたわけですが、今日になって、やっぱり無理だという電話がありまして……」

「一体、どういうジャンルに挑戦されたのかな。大凡さんは」

「いや、だから、それは……」青山は頭を掻いた。

「わかった」熱海は指を鳴らした。「もしかして、ハードボイルドじゃないの？」

「えっ、いやあ、それは」

「当たりでしょう？」

「はあ、まあ、そんなところですかね……」

ああ、と熱海は大きく口を開いた。

「それはだめだ。あまりよく知らないけど、大凡さんはオーソドックスな推理小説を書いてきた人でしょ？　そういう人にハードボイルドは無理だよ。書けないよ。それは君たちのほうにも責任があるね。素人《しろうと》にハードボイルドなんか依頼しちゃだめだって」

「十分に反省しております」青山は再び深々と頭を下げた。

「それで？　どうしてこっちに火の粉が飛んでくるわけ？」

「ですから、こちらから大凡さんにお尋ねしたわけです。だったら、どういうミステリなら書けますか、と。すると、本格ミステリなら今すぐにでも書けるという答えが返ってきたんです」

「ははあ」熱海はゆっくりと腕を組んだ。「そういうことか。で、本格ミステリは大凡さんに書かせることにした。代わりに熱海圭介にはハードボイルドを書かせようってわけだ」

「いえいえ」青山は両手を振った。「ハードボイルドでなくて結構です。最初にいいましたように、好きなものを書いてください」

「へええ」熱海はコーヒーカップにミルクを入れ、スプーンで悠然とかきまぜた。「そうなのか。もう本格ものはいらないのか。それは残念だなあ。せっかくいろいろと考えていたのに」

「あっ、もしかして、もう書き始めておられましたか」

「そうではないけど、アイデアは固まりつつあったんだ。あそこまで作りあげるのに、ずいぶんと時間がかかっちゃったんだよなあ。なかなかのトリックだと思うよ。あれを読めば、本格ミステリの作家たちも驚いたんじゃないかなあ」そういってコーヒーを啜《すす》った。

「そこまでおっしゃるのなら」青山が探るような上目遣いをしてきた。「その作品を書いていただいても結構ですが……」

熱海は息を呑《の》んだ。その拍子にむせそうになった。

「いや、やめておくよ」平静を装って答えた。「ほかに本格を書く人がいるのなら、ジャンルがかぶるのはよくない。僕はハードボイルドを書くよ。それでいいね」

「ええ、それはもちろん結構です」

「じゃあ、そういうことで」熱海は立ち上がった。

喫茶店を出て、青山の姿が見えなくなるのを確認してから、熱海は両手でガッツポーズをした。

5

ビルの角を曲がってから青山は携帯電話を取り出した。会社に電話をかけると相手はすぐに出た。

「青山です。無事、話はつきました」

「熱海さんは納得したんだな」神田が念を押してくる。

「もちろんです。思った通り、渡りに船って顔をしてました」

「こっちも助かったよ。あの人の書く本格ってどんなものか、一度読んでみたい気もするが、それはよその雑誌でいい。うちの誌面に載るかと思うと背筋が寒くなる。で、どんなものを書くといってた？」

「御本人としてはハードボイルドを書くつもりのようです」

「やっぱりな。まあいいよ、それはそれで。本人が何のつもりで書こうが、たぶんこれまでの作品と同じジャンルのものが出来上がってくるだろう。こっちとしてはやることは同じだ。大凡さんが最初にどういうジャンルのミステリを書こうとしていたのかってことは、熱海さんにはいわなかっただろうな」

「もちろんです。曖昧にごまかしておきました」

「それでいい。じゃあ、大凡さんにも連絡しておいてくれ」

「わかりました」

青山は一旦《いったん》電話を切った後、今度は大凡均一の番号にかけ始めた。


「——というわけで、大凡さんには本格ミステリをお願いいたします。それでよろしいですね」青山の若々しい声が電話から聞こえてきた。

大凡均一は立ったままで受話器を握りしめ、頭を下げた。

「このたびは本当に申し訳ありませんでした。自分の未熟さを痛感させられました。今後、こういうことは絶対にないようにいたしますので、どうかこれからもよろしくお願いいたします」

「いやいや、そんなに気になさらなくて結構です。早くいってくださってよかった。幸い、代わりに書いてくださる方も見つかりましたし」

「そのことなんですが、それはどなたなんでしょうか。一言、お詫びとお礼を申し上げたいのですが」

「いやあ、その必要はないと思います。原稿を書くのは作家の仕事ですから」

「そうですか。まあ、どなたが代わりに書いてくださったのかは、次の『小説灸英』を読めばわかるわけですが」

「そうですよ。御自分の目でお確かめになってください」

「そうします。しかし難しいものですねえ、新しいジャンルに挑戦するというのは」

「そんなに大変でしたか」

「大変でした。自分には向いてないと思いました。あのジャンル――ユーモア・ミステリを書ける人って、どういう人なのかなあ」話しながら大凡は首を捻った。「次の『小説灸英』ではどんなユーモア・ミステリが掲載されるのか、今から楽しみです」

するとなぜか青山の、うーんと唸る声が聞こえた。

「ユーモア・ミステリというより、ギャグ小説ですね。その方のお書きになられるものは、大体そういう感じなんです」

「そうなんですか。いずれにせよ、勉強になると思います」

「まあ、あまり参考にはならないように思いますが」青山は意味深なことを口にした後、ではよろしくお願いしますといって電話を切った。

大凡は受話器を置き、ソファに腰を下ろした。そばでは彼の妻がお茶を淹《い》れている。

「何とかしてもらえたみたいね」彼女は湯のみ茶碗《ぢやわん》を大凡の前に置いた。

「何とかね」大凡は茶碗を手にし、茶を啜った。「助かったよ」

「これからはあまり背伸びしないことね。自分にできない仕事は引き受けてはだめ」

「そうだよな」大凡はため息をついた。「でも、書けると思ったんだけどなあ。ユーモア・ミステリ」

「そんな本まで買っちゃって」妻が苦笑する。「馬鹿みたい」

「全くだ。すっかり騙《だま》されちゃったよ、日本ミステリ作家協会に」大凡は傍らに放り出してある本を手にした。

本のタイトルは、『ミステリ小説の書き方』だった。


（作者注：本作に登場する『日本ミステリ作家協会』は、実在の日本推理作家協会とは無関係です。また、本作中の『ミステリ小説の書き方』と違って、日本推理作家協会編著の『ミステリーの書き方』〔幻冬舎〕は、ミステリ作家志望の方が読めば本当にためになる本です）

引退発表

1

この道を通るのは久しぶりだなと神田は思った。数年前までは、足繁くというほどではないが、それなりの頻度で通ったものだ。

彼は古いタイプの編集者だった。たとえさほど売れなくても、自分の気に入った作家の原稿を本にできれば歓《よろこ》びを感じられた。その作家と何度も話し合い、次はどんな小説にするのかを決めていく時の高揚感が好きだった。その話し合いに基づいて書かれた原稿を最初に読む時の期待感、読んでいる最中の緊張感はたまらない。読み終えた際には、最上級の敬意を作家に払う。ただし、浮かれてばかりはいられない。編集者として、作品がさらに良質なものになるよう、作家に進言することも時には必要だ。そんな時には使命感が彼の胸中を支配している。

この道を何度も往復したのは、そんな充実した編集者生活を送っていた頃のことだ。

今、神田はそういう仕事のやり方をしていない。部下にも命じていない。彼は自分が上から命じられていることを、部下にも伝えている。

「売れる作家の原稿なら何でもいいから取ってこい」

基本的にはこれだけだ。ほかに、これといった方針はない。

馬鹿げた話だと思う。売れる作家の原稿なんて、どこの出版社だってほしいに決まっている。そういう原稿だけを本にできるなら、こんなに楽な商売はない。

だが実際には、売れる作家なんて一握りだ。黒字を出せる作家ですら、そんなにはいない。その数少ない作家たちを、いくつかの出版社で奪い合っている。

本来なら出版社は、まだ売れていない作家を売れるように育てていくべきなのだ。あるいは世間に広く認知されるようアピールしていくべきなのだ。かつてはそうやって、ベストセラー作家を作りだしてきた。売れない作家に原稿を書かせるのは一種の投資だった。

しかしそんな余裕のある出版社は、今やごくわずかだ。多くの出版社は、他社が新たな売れっ子を生み出してくれるのを待っている。神田の勤める灸英社もそうだ。何年か前、今後売れる見込みのない作家には原稿を依頼するな、という指示が上から出された。それにしたがい、彼は付き合いのあった作家を何人か切り捨てたのだ。

一軒の日本家屋の前で神田は足を止めた。

この玄関をくぐるのも久しぶりだった。いつも「投資」のつもりで会いに来た。今度こそ売れる小説を書いてくれと祈りながら通ったものだ。

表札には、寒川心五郎《さむかわしんごろう》とある。

神田が最初に切り捨てた作家だった。

2

「いやあ、わざわざ来てもらって申し訳なかった。外で会おうかとも思ったんだけど、周りがざわざわしてると落ちつかないからね。他人に話を聞かれるのも嫌だったし」

ソファに腰掛けた寒川は、以前よりも少し太ったように見えた。ただし頭髪は寂しくなったようだ。流行遅れのセーターを着ているが、そういうところは以前と変わらない。

「どうも御無沙汰しております。これはつまらないものですが」神田は紙袋を差し出した。中身は駅前の和菓子屋で買ってきた羊羹《ようかん》だ。

「やあ、これはすまないねえ。最近じゃあ、君のところでは仕事をしてないんだから、こんな気を遣ってくれなくてもよかったのに」寒川は嬉《うれ》しそうに受け取りながらいった。

　その言葉を神田は複雑な思いで受け止めた。炎英社から仕事の依頼がないことを皮肉っているのかなと思った。

「いつだったか、君がいってくれたことがあったね。決して急《せ》かせる気はないから、マイペースで納得したものを書き上げてくれ、そういうものができるまで待ち続ける覚悟はあるから、と。あの台詞《せりふ》に甘えて、ずっと不義理をしてきた。ここ何年も、炎英社には一枚の原稿も渡していない。本当に申し訳ないと思っているんだ」寒川は辛《つら》そうな顔で頭を下げた。それは演技には見えなかった。そして彼が演技や嘘《うそ》が下手《へた》だということを神田は知っている。どうやら寒川は本気で詫《わ》びているようだ。自分が切り捨てられたとは思っていないらしい。

　では今日は、彼のいう「不義理」を解消するために神田を呼び出したということか。つまり、ついに納得したものを書き上げたから、その原稿を渡そうということなのか。だとしたらまずい、と神田は焦った。そんな原稿を貰《もら》っても、出版できる見込みなどない。

「いえいえいえ」神田は顔の前で手を横に振った。「頭を上げてください。私としても寒川先生の原稿がいただければ何よりなのです。でもその前に、その大切な原稿をどういう形で出版していくのが先生にとってベストなのかを、まず考える必要があると思っています。極端な場合、我が社で出版できなくても仕方がありません。どこの社で、どんなふうに本にしていくか、二人で考えましょうよ」

するとと今度は寒川が手を大きく振った。首も振っている。

「違うんだ、神田君。そうじゃないんだ。原稿はないんだ。本当に申し訳ないんだが、君に渡せるような原稿は、今も一枚もない。だから、こうして頭を下げているんだよ」

「ははあ……」神田は当惑し、ベテラン作家の薄い頭頂部を見つめた。「原稿をお書きになったわけではないんですか。ええと、じゃあ今日は、そんなふうに謝るために私をお呼びになったのですか」

「いや、それだけではない」寒川が顔を上げた。「謝ると同時に、相談したいことがあったんだ。相談というより、報告といったほうがいいかな。俺の気持ちは固まっていて、もう揺らぐことはないからね」

神田は作家の顔を見返した。寒川は何かを決断したらしい。しかしその内容に、まるで見当がつかなかった。

「神田君。君は先日の五輪を見たかね」

「オリンピックですか。はあ、テレビで時々見てましたが」

「スポーツはいいものだな。金メダルを目指して、自分の持てる力のすべてを発揮しようとする選手たちの姿はじつに美しい。彼等の筋肉の動きを眺めているだけで感動する。だが華やかな一方で、彼等が常に自らの引き際を考えているのも事実だ。何人かの選手が、メダルを獲《と》った直後に引退を仄《ほの》めかす発言をしただろう？　トップアスリートというのは、自分の限界をわかっているのだよ。ボロボロになるまで続けるという美学もあるだろうが、すぱっと見切りをつけ、次のステージを目指す生き方は、やはり格好いいものだ。そうは思わないか」

「それは思いますが」

寒川が何をいいたいのかさっぱりわからなかったが、神田は辛抱強く相槌《あいづち》を打った。

「そこで」寒川は太股《ふともも》に両手をつき、身を乗り出した。「俺もついに決意した。どうか止めないでほしい」

神田は瞬《まばた》きし、寒川の弛《たる》んだ顔を眺めた。

「ええと、どういうふうに決意されたわけですか」

寒川は眉間に皺《しわ》を寄せた。

「何を聞いていたんだ。この話の流れで決意といえば、引退に決まってるだろ。俺は引退することにした」

神田は、まだ意味がわからなかった。寒川は趣味で何かのスポーツをしていただろうかと考えたりした。

「あのう、寒川先生、頭が悪くて申し訳ありません。一体何を引退されるおつもりなんでしょうか。ゴルフでしょうか」

「ゴルフ？　君は何をいってるんだ。俺はゴルフなんかやらんぞ」寒川はテーブルを叩《たた》いた。「作家だよ。俺は作家を引退することにしたんだ」

寒川の言葉が神田の脳全体に行き渡るまで、少々タイムラグがあった。その意味を完全に理解してから、えっ、と声を上げていた。

「作家をおやめになるということですか。もう小説は書かないと」

「そういうことだ。第一線から退くことにした」

「先生、ちょっと待ってください」

「待たない。さっきもいっただろ。もう決めたことなんだ。俺の決意は固い。誰が何といおうと考えが変わることはない。諦めてくれ」

腕組みをし、口をへの字にした寒川を見て、神田は困惑した。まさかこんな発言が飛び出すとは夢にも思っていなかった。ちょっと待ってくれといったのは、寒川を翻意させようとしたわけではなく、神田自身が頭を整理したかっただけのことだ。

「ははあ、そうですか。引退ですか……」神田は頭を掻《か》きながら呟《つぶや》いた。混乱はまだ完全には収まっていない。

「突然のことで、君が戸惑っているのはよくわかる。だが十分に考えた末のことなんだ。金メダリストたちのように、俺も華やかなままで散っていきたいと思ったわけだ」

「華やかなままで……ですか」神田は寒川の言葉をリピートするのみだ。どう対応していいのかわからない。華やかなまま？　この作家にそんな時があっただろうか。

「そこで君にひとつ頼みがある」寒川がいった。

「何でしょうか」

「俺も、この業界ではずいぶんと長くやってきた。世話になった人や義理のある人はたくさんいる。そういう人たちに断りなく引退するというのも失礼だと思う。やはり筋を通しておきたい」

「なるほど。では書簡か何かで報告するということで……」

　神田の提案を聞き、寒川は不満そうに下唇を突き出した。

「一人の作家が引退するというのに、そんな形だけの報告でいいわけがないだろう」

「では、どういった形でやりましょうか」

「そうだな。俺としては、会見を開くのが一番いいかなと思っている。合同記者会見だ」

　神田は鈍い頭痛を覚え始めていた。

「合同というと、いくつかの社を呼ぶわけですか」

「それが手っ取り早いだろう。別々に取材を受けたら、こっちとしては同じ話を何度もしなけりゃいけなくなる。そんなのは面倒だ。うん、合同記者会見がいい。それでいこう。神田君、その方向で進めてくれ。いいな、わかったな」

　一方的にまくしたてられ、頭の中が少しぼうっとしていた神田は、何ら反論が思いつかないままに頷《うなず》いていた。

3

　神田の話を聞いた獅子取はビールを噴き出した。

「何だって？　引退の合同記者会見？　何だよ、それ」濡《ぬ》れた服をハンカチで拭きながら獅子取は訊《き》いてくる。

　新宿《しんじゅく》の居酒屋に二人でいた。重要な話があるといって神田が呼び出したのだ。獅子取は神田の同期で、現在は書籍出版部の編集長を務めている。寒川との付き合いも、灸英社では神田の次に長い。

「だから、今いった通りだ。寒川さんは、自分が作家を引退するってことを会見で話したいらしい」

獅子取は自分のこめかみを押さえた。

「それがよくわかんないんだけどさあ、作家を引退するってどういうこと？」

「だからもう小説は書かないってことだよ。本は出さないわけだ。第一線から退くっていう表現を使っておられた」

ふうん、といった後、獅子取は首を捻《ひね》った。

「それって、わざわざ宣言しなきゃいけないことなのかなあ。書きたくないなら、書かなきゃいいだけのことだ。そもそも寒川さんは、ここ二年ほど新作を出してないじゃないか。とっくの昔に第一線から退いてる状態だ。だけどそれについて誰も何とも思っちゃいない。もちろん本人に何かをいう人もいないはずだ。それでいいんじゃないのか」

「なんか、引退っていう形に憧《あこが》れを持ったみたいなんだ。スポーツ選手の引退会見に感化されたらしい」

「面倒臭いことをいいだしたもんだなあ」獅子取は顔を歪《ゆが》めた。

神田は生ビールのジョッキを傾けた。ぐびぐびと飲んだ後、ふうーっとため息をついた。

「俺もさ、最初に聞いた時には馬鹿げたことだと思った。だけど後でゆっくりと考えてみて、寒川さんの頼みを聞いてもいいかなって気になったんだ」

「どうして？」

「君のいってることは正しいよ。寒川さんが今後一切書かなくなって、本を出さなくなったとしても、気にする人なんかは殆《ほとん》どいない。寒川さんの数少ない読者の中には、最近新作が出ないなと不審がっている人がいるかもしれないが、おそらくごくわずかだ。しかもそのわずかな人にしても、いずれは忘れてしまう。寒川さんだけじゃない。多くの作家がそうなんだ。何もしなければ、業界内で名前が上がらなくなり、仕事の依頼もこなくなり、やがては編集者からも読者からも忘れ去られてしまう。作家を定年のない職業だといった人がいるけど、定年がない代わりに明確な退職といったものもない。たしかに本人が自分のことを作家だといい張っていれば、いつまでも作家でいられる。でも、だからといって仕事が来るわけじゃない。本を出し続けている間は作家だが、それが途切れた途端に無職と同じだ。要するに自称作家でも、現実には元作家にすぎないってことになる。そこからまたがんばって執筆し、本を出せば作家に戻る。作家と元作家を死ぬまで繰り返す——そういう職業なんだ」

「同感だね。その言い方でいえば寒川さんは、現時点では元作家だ。で、作家に戻る見込みもない。つまり今さら引退会見の必要はない」

「そこなんだよ。君のいう通りなんだけど、自分でも知らないうちに引退してたなんて、悲しいと思わないか。それより、自分で幕引きを決意したというのなら、付き合ってやってもいいんじゃないか。細々とながらも実績を積んできた作家だし」

神田がいうと、獅子取は頬杖《ほおづえ》をつき、うーんと唸《うな》った。

「そういう言い方をされると辛い。あの人には、さほど儲《もう》けさせてはもらわなかったが、困った時に助けてもらったのは事実だからなあ。ほかの作家が原稿を落として、穴が開きそうになった時なんか、よく寒川さんに頼んだもんだ。どんな時でも作品の出来が一定の水準を保っていたので安心だった。その水準を大きく超えるって作品もなかったけどさ」

「じゃあ、この話に乗ってくれるか」

獅子取は不承不承といった様子で頷いた。

「まあいいよ。付き合おう。ほかの社の連中にも声をかけてみる」

「頼むよ。引退宣言が話題になって、寒川先生の本がわずかでも売れれば、我々としても助かる」

「その可能性は」獅子取は首をすくめた。「限りなくゼロに近いと思うけどね」

4

十月の某土曜日、神田は灸英社の会議室でやきもきしていた。部屋のドアには、『作家・寒川心五郎　合同記者会見会場』と書かれた紙が貼られている。あと二十分ほどで会見が開かれる予定なのだが、記者たちがまだ一人も現れないのだ。

腕時計を睨《にら》み、会見時刻を少し遅らせようかと考えていたら、獅子取がのっそりと入ってきた。「やあ、遅くなって悪かった」

「どうなってるんだ。まだ誰も来ないんだけど」

「ははあ」獅子取はパイプ椅子がずらりと並んだ室内を見渡した。「一応、知り合いの新聞記者には声をかけておいたんだけどなあ。連中も忙しいから、やっぱり余興に付き合う暇はなかったか」

「参ったな。何とか人をかき集めないと。各社の担当編集者には知らせてくれたんだろ?」

「知らせた。全員、そういうことならできるだけ同席したいといってた」

「できるだけ、か。必ずではなくて」

「何人かは来てくれると思うよ。うちの若い者にも、なるべく来るようにいってある。それより寒川さんは？」

「控え室で休んでもらっている」神田は声をひそめて続けた。「珍しくスーツ姿だし、床屋にも行ってきたようだ。かなり気合いが入っている。今さら中止にはできない」

　ううむ、と獅子取は呻《うめ》き声を漏らした。

　編集長、と呼びかけながら、若い男性社員が入ってきた。青山という神田の部下だ。

「出勤している者はいますが、手が空いている者となると難しいです。土曜日に出勤しているぐらいですから、それなりに忙しいんです」

「どこの職場の人間でもいい。マンガでも女性誌でも。とにかく頭数が揃《そろ》ってることが大事なんだ」

　青山は情けない顔で首を振った。

「マンガや女性誌にはすでに当たりました。寒川心五郎なんて知らないと一蹴されました」

「じゃあ、ほかの職場を当たれ」

「当たりましたが、なかなか数が揃いません。それで、社外の人に頼もうかと思うのですが、構いませんか」

「社外の人というと?」

「一人は警備員さんです。スーツを着せれば問題ないと思います。あと、掃除のおばさんに話したところ、手伝ってもいいといってくれました」

「オーケー、そのセンで進めてくれ」

ラジャー、といって青山は部屋を飛び出していった。

「警備員に掃除のおばさんか。一体どういう顔ぶれだ」獅子取が頭を振る。

「この際、背に腹はかえられない。土曜日で、会社にいる人間が少ないんだ」

「どうして土曜日なんかにしたんだ。平日なら、何とかなったかもしれないのに」

「平日だと、ここの会議室の使用許可が下りなかったんだ。寒川心五郎という名前は、うちの会社にとっては過去のものだからな」

神田がそういった直後、「おっ、ここらしいぞ」という声が外から聞こえてきた。その後、長身の痩せた男が入ってきた。

「広ちゃん、来てくれたのか」神田は歓びの声を発した。

金潮書店の広岡という男だった。寒川心五郎の担当編集者で、神田の次に多くの本を作っている。

「そりゃあ来るよ。寒川さんの引退式となれば、出席しないわけにはいかんだろう」

彼だけではなかった。後ろからぞろぞろと懐かしい顔ぶれが入ってきた。いずれも、長年寒川の担当をしてきた編集者たちだった。

「やあやあやあ、これはこれは」

「どうもどうも」

「お久しぶり」

こうして一堂に会するのは久しぶりのことだった。まるで同窓会のように、和やかな挨拶の言葉が飛び交った。

神田自身も、まるで二十年前に戻ったような気持ちになった。忽《たちま》ち、昔話に花が咲いた。

「あの時の広ちゃんには驚いた。寒川さんを連れて、全国をサイン会行脚しちゃうんだもんなあ。一体、書店を何軒回ったんだ」

神田の問いかけに広岡が鼻をぴくつかせる。

「百軒は回ったはずだ。一週間ぐらいかかったかな。あの頃は会社も景気がよくて、旅費を出してくれた。戻ってきたら早々に三千部の増刷が決まって、さすがに泣けたね」

「あれはショックだった。俺以外の編集者に、寒川さんの本を二万部以上売れるとは思ってなかったからね。やられたと思ったなあ」

話題は尽きなかった。一人の作家を巡り、編集者たちが真剣勝負を繰り広げていた時代がたしかにあったからだ。皮肉なことだが、寒川が売れなかったからこそ、その勝負は面白いものになった。出せば必ず売れる作家では、編集者の腕の見せ所がない。寒川の本を売るには知恵と努力が必要だった。それだけに、たとえ千部でもライバルたちを上回れれば、その夜に飲む酒は旨《うま》かった。

獅子取が神田のそばに寄ってきた。「そろそろ始めてもいいんじゃないのか」

神田は会場内を見回した。部下たちが人を集めてきたこともあり、並べられたパイプ椅子の半分以上が埋まっている。これなら何とか格好がつきそうだ。

「じゃあ、寒川さんを呼んでくる」そういって神田は部屋を出た。

5

「皆様、長らくお待たせいたしました。これより寒川心五郎さんの合同記者会見を開かせていただきます。まず寒川さんより皆様へお話があるとのことでございます。その後、私のほうから質問を募らせていただきますので、お訊きになりたいことがある場合は、その場で挙手していただければと存じます。では、寒川さんに入っていただきます」

　神田の口上が済むと、ドアが開いて寒川が入ってきた。茶色のスーツ姿だ。薄いながらも髪には櫛目《くしめ》が入っている。彼は緊張した足取りで、雛壇《ひなだん》に向かった。その彼にカメラのフラッシュが浴びせられた。ただしフラッシュを光らせているのは、神田や獅子取の部下たちだ。本職のカメラマンなどは一人もいない。引退会見の雰囲気を出すための演出である。

　寒川は一礼してから席についた。テーブルにはマイクが置かれている。大して広くない会議室だから、そんなものは不要なのだが、これもまた雰囲気作りの一環だ。

「えー、本日は私のためにお集まりいただき誠にありがとうございます」寒川がしゃべりだした。マイクのスイッチが入っていないが、十分に聞こえる。「じつは皆様に重大な報告がございます。私、寒川心五郎は――」そこで一旦《いったん》言葉を切り、皆からの注目を確かめるように一同を見回した。「私、寒川心五郎は、本日をもって作家を引退することを決意いたしました。皆様、今日まで本当にありがとうございました」深々と頭を下げた。

場内は静まりかえっていた。集まった者の殆どが寒川の引退をすでに知っていたし、知らずに集められた者たちは寒川が何者かをわかっていないので、これは当然のことだった。

「ええとそれでは質問を受け付けたいと思います。どなたか、質問はありますか」

さっと手を上げたのは獅子取だ。無論、事前に打ち合わせておいたのだ。どうぞ、と神田はいった。

「灸英社の獅子取です。いくつか質問があります。まず、引退を決意された理由は何でしょうか」質問内容は、寒川本人から希望を聞いて用意したものだった。

寒川が顔を上げた。マイクに口を近づけた。

「一言でいうと、力の限界を感じたということに尽きます。今のままでは、いずれ皆さんの期待に応《こた》えられるような作品は書けなくなるでしょう。そうなる前に、自分で幕を引こうと決意いたしました」

古くからの担当者たちが苦笑している。読者の期待に応えられないのは今に始まったことではないのに、とでも思っているのかもしれない。

「では御自身の作品の中で、そうした読者の期待に最も応えられた作品はどれだと思っておられますか」打ち合わせ通りに獅子取が質問を繋《つな》いだ。

寒川が全員を見渡した。

「もちろん、『血族の遙《はる》かなる山河』です。あれこそが私の最高傑作であり、代表作だと思っています」

それを聞き、ああやっぱりなと神田は思った。

『血族の遙かなる山河』は、十年ほど前に寒川が灸英社から出した本だ。ある一族の三代に亘《わた》る物語を描いた作品で、伝奇小説、ミステリ小説、歴史小説、恋愛小説、さらには社会派小説と、とにかくあらゆる要素がぶちこまれた力作だった。たしか枚数は三千枚以上あったはずだ。

「特に気に入っているのは、最後から二番目の章で、主人公が父親の仇敵《きゅうてき》と対決するシーンです。あの部分を書くために、私は二週間、山にこもりました。自然に囲まれた場所に身を置き、その力を体内に取り込まなくては書けないと思ったからです。あのシーンには、その成果が出ていると思います」

寒川が力説しているが、聞いている者たちの反応は鈍い。当然だった。おそらくこの中の殆どの者は、『血族の遙かなる山河』を読んではいないだろうからだ。

その小説はたしかに力作だった。だが力を込めたからといって、必ずしも売れるとはかぎらない。また、高評価を得られる保証もない。

残念ながら『血族の遙かなる山河』は、特に話題になることも、文学賞の候補になることも、そして売れることもなかった。発売から一か月後には書店からすっかり姿を消していたのだ。

神田は、寒川があの作品に賭けていたことを知っている。あの作品で文学賞を獲り、世間に名前を売るつもりだった。それだけに世間から黙殺された後の落ち込みようは尋常ではなかった。

寒川だけではない。勝負を賭けた作品が全くの空振りに終わるということは、殆どの作家が経験している。今ではベストセラー作家と呼ばれている者でも、そうなる前には何冊もの自信作を無視されているのだ。

「今のお気持ちを聞かせていただけますか」獅子取が次の質問に移った。

寒川は瞼《まぶた》を閉じ、深呼吸を一つした後、改めて目を開いた。

「今は満足感と寂しさが半々というところです。これから自分の気持ちがどうなっていくのか、正直いってまだわかりません。でも、これだけはいえます。私は作家になって本当によかった。そして私がこれまで作家を続けてこられたのは、皆さんのおかげです。心より感謝いたします」

「ありがとうございます。では、明日からはどうされますか。まだ決まってませんか」

獅子取が締めくくりの質問を発した。

　寒川は少し考え込む表情を見せた後、マイクに顔を近づけた。

「しばらくはぼんやりすると思います。ただ、今も申し上げましたように、これまで私が作家を続けてこられたのは皆さんのおかげです。その感謝の気持ちを、とりあえずは形にしなくては考えています」

「といいますと？」

「作家の私が形にするといっているのですから、小説を書くと考えていただいて結構です。これが私の最後の仕事、引退試合ならぬ引退小説ということになります。なるべく早い時期に発表するつもりですから、どうかもう少々お待ちください。なおこの作品は、誰よりも私の作品を理解し、私の原稿を待ち続けていた、灸英社の神田君に預けたいと思います。——神田君、そういうことだから、よろしく頼むよ」寒川が笑顔を向けてきた。

　全員の視線が神田に集まった。獅子取が困惑の色を浮かべている。

　その後、ぱちぱちぱちと微妙に力のない拍手が起きた。

6

神田が寒川の家に足を運んだのは、引退会見からちょうど一週間後のことだった。

「いかがですか、その後」神田は訊いた。

寒川は苦笑いを浮かべながら首を捻った。

「何だか変な感じだね。もう小説のことは考えなくてもいいはずなのに、気がついたら頭の中でアイデアを転がしてたりする。作家の性《さが》というやつだろうね」

「しばらくはのんびりされたらいかがですか。旅行なんかいいと思いますが」

「そうだね。一段落したら考えようかな」

「一段落というと、まだ何かやるべきことが残ってるんですか」

「いろいろとね。ああそうだ、会見の時に話した引退小説のことだけど」

「先生、どうかお気になさらずに」神田は右の掌《てのひら》を拡《ひろ》げて出した。「ああいう場ですから、ついリップサービスをされたのだろうと思っています。今はそんなことはお考えにならず、これからの人生のことを――」

神田が言葉を切ったのは、寒川が傍らから大きな封筒を出してきたからだ。

「あのあとテンションが上がってねえ、一気にこれだけ書いちゃったんだよ。君に預けるから、何らかの形で発表してくれたらいいよ。もちろん、『小説灸英』でもいい」

「……あれからすぐにお書きになったんですか」

「何だか筆が軽やかになったみたいなんだ。引退宣言したことで、肩の力が抜けたのかもしれないな。タイトルは『筆の道』。悪くないだろ？　よろしく頼むよ」寒川は分厚い封筒を両手で差し出してきた。

神田はそれを受け取った。ずしりと重かった。同時に彼の気持ちも重くなっていた。

「……わかりました。では、お預かりします」

寒川の家を出てからタクシーを拾った。タクシーの中で先程の封筒を取り出した。封筒の中には原稿用紙が入っていた。寒川は今時珍しい手書き作家だ。原稿用紙には、一枚一枚ノンブルが付いている。神田は中身を読む前に、最終頁《ページ》のノンブルを確認した。115となっていた。四百字詰め原稿用紙、百十五枚ということだ。

参ったな、こんなにあるのか——。

灸英社は、もう寒川心五郎の本は出さない方針だ。しかし神田が役員を説得し、今回にかぎり『小説灸英』に掲載してもいいという許可を得た。とはいえ、百枚を超えるとなると、上からまた何かいわれそうだ。

引退したんだから、そんなにがんばって書くことはないのに——。

神田は原稿を膝に置いた。とりあえず読んでみようと思った。しかし一枚目に記されているタイトルを見て、彼はぎくりとした。何かの間違いだろうと思った。だがそうではなかった。そうではないとわかった時、彼は目眩《めまい》を感じた。

タイトルは、『筆の道　第一章』となっていた。あわてて最終頁を見てみると、一番最後に、『第二章に続く』と書いてあった。

戦略

1

熱海圭介から、新作の長編小説が書き上がったというメールが届いた。『読者の期待を裏切らない作品になったと思います。』という自信に満ちた文章に、ファイルが添付されていた。

疑念と少しばかりの期待を胸に抱きつつ、小堺はファイルを開いた。

小説のタイトルを見て、まず力が抜けた。『銃弾と薔薇《ばら》に聞いてくれ』というもので、副題が『撃鉄のポエム2』となっていた。

困ったものだなあと嘆息した。『撃鉄のポエム』は熱海圭介のデビュー作で、たしかに今のところは代表作だ。だがそれは、ほかに目立った作品がないからにほかならない。『撃鉄のポエム』にしても、新人賞を獲《と》ったというだけで、特に注目されたわけでもなかったのだ。しかし本人は思い入れが強いらしく、続編を書きたいといって譲らない。そこまで主張されれば、担当編集者としては、まあとにかく書いてみてください、というほかなかった。

テキストファイルを縦書きに変換して読み始めた。間もなく、自分の口がへの字に曲がっていることを自覚した。

やっぱりこう来たか——。

主人公は『撃鉄のポエム』と同じで、一匹狼《いっぴきおおかみ》の元刑事だ。その男が、かつて自分を救ってくれた女がマフィアの人質になっていることを知り、単身で救出しようとするが、そこに世界のテロリストを牛耳る謎の組織が絡んでくるという、壮大だが既視感は大いにあり、しかも現実感は少ないという物語だった。ハードボイルドかぶれしすぎた文体は健在で、今回も、「男は散らせた薔薇の花びらの数だけ、心に弾痕を抱えている」なんていう文章が出てきて、小堺を赤面させるのだった。

丸一日をかけて読み終え、困ったなあ、と改めて頭を痛めた。

新人賞の応募原稿だったら、まず最終候補には上がらない。持ち込み原稿なら、三分の一で放り出していただろう。正直なところ、出版に値する作品だとは思えなかった。

何とか書き直してもらうしかないな。でもそれでどこまで良くなるかは怪しい。あまり改善されないようだとボツにするしかないな——幾分冷めた心で、小堺は結論を出した。

ところが翌日のことだ。上司の獅子取から、「熱海さんの書き下ろし原稿はどうなってる？　そろそろ上がる頃だろ」と訊《き》かれた。

「昨日、とりあえず上がってきましたけど」

「何だ、そうなのか」獅子取の顔が明るくなった。「出来はどう？　予定通り出せそうか」

「いやあそれが」小堺は首を捻《ひね》った。「今のままではまずいと思います。相当な書き直しが必要かと」

途端に獅子取は顔をしかめた。

「えー、そうなのか。どれぐらいかかりそう？　一週間ぐらいか？」

いやいや、と小堺は手を振った。

「僕が読んだかぎりでは、一か月、いやそれ以上はかかると思います。一から書き直させたほうがいいかもしれません」

「えー、何とかならないのかよ」

「ちょっと無理だと思います。一体どうしたんですか。熱海さんの作品なんて、大して期待してなかったじゃないですか。別に出さなくてもいいとまでいってたくせに」

「それがさあ、状況が変わっちゃったんだよ」獅子取は弱り顔で短髪の頭を掻《か》いた。

「昨日の会議でさあ、新人賞の歩留《ぶどま》りの話が出たんだ」

「新人賞の歩留り？　何ですか、それは」

「そのままの意味だ。うちの新人賞でデビューした作家のうち、何パーセントが会社を儲《もう》けさせる作家に成長したかってことだ」

「それは」小堺は唾を呑《の》み込んだ。「なかなかシビアな話ですね」

「営業の奴《やつ》らが、それに関する細かいデータを出してきやがってさあ、他社の新人賞と比べて、あまり良くないっていう結論になったわけだ」

「そうなんですか」

「そうなんだ、実際。悔しい話だけどさ」

「でもそれって、選ぶ人間に問題があるんじゃないですか。つまり選考委員に」

獅子取は口元を歪《ゆが》めて首を振った。

「どこの新人賞も、選考委員の顔ぶれは似たり寄ったりだ。だから営業の奴ら、俺たちの育て方が悪いんじゃないかっていうんだ」

「ははあ、育て方ですか……」

「新人作家について、どんな作風で売っていくかとか、ほかとどう差別化するかとか、出版の人間はもっと考えたらどうだっていわれちまったよ。唐傘ザンゲさんみたいな、勝手に成長してくれる作家が出てくるのを待っているだけなら、編集者なんて不要だとまでな」

「そこまでですか。もちろん、反論したんでしょ？」

「当たり前だ。俺を誰だと思っている」獅子取は胸を張った。

「何といってやったんです」

「待っているだけとは聞き捨てならん。我々は、常に新しい才能を育てることに心血を注いでいる。その証拠に、近々、新人賞出身の作家をブレイクさせてみせる。計画は着々と進んでいる——社長も同席している中で、そう啖呵《たんか》を切ってやった」

ついさっきまでは頼もしい思いで上司を眺めていた小堺だったが、今の話を聞き、途端に暗い気持ちになった。

「その作家は誰だって訊かれませんでしたか」

「訊かれた」

「もしかしてその作家というのが……」

うん、と獅子取は渋い顔で頷《うなず》いた。

「熱海圭介さん。だって、うちの新人賞を受賞した作家で、近々刊行の予定がある人といったら、ほかに思い浮かばなかったんだ」

小堺は全身の力が抜けていくのを感じた。

2

小堺の予想通り、獅子取は熱海圭介の作品をろくに読んだことがなかった。これまでの作品と販売実績のデータ、さらに今回の書き下ろし原稿を机に積み上げ、獅子取は片っ端から読み始めた。その様子を眺めながら、小堺は今回の騒動の結末を想像した。伝説の編集者とまでいわれる獅子取は、才能を見抜く目もたしかだ。熱海の作品など、数ページ読んだだけで商品にならないとわかるだろう。プライドの高い人物だが、次の会議で社長らに頭を下げるしかないのではないかと思った。

丸二日間、獅子取は熱海の作品を読んでいた。読み終えた後、獅子取は椅子をくるりと回転させ、ずいぶんと長い間窓の外を眺めていた。

夕日が完全に沈んだ頃、「小堺、ちょっと」と呼ばれた。小堺は、やや緊張して獅子取の机の前に立った。箸にも棒にもかからない——熱海の小説について、そんなふうにいうのではないかと予想した。

獅子取が徐《おもむろ》に口を開いた。「箸にも棒にもかからんな」

かくっと膝が折れそうになった。あまりに予想通りでも、逆に驚く。

しかし、と獅子取は続けた。「爪楊枝《つまようじ》ならかかるかも」

「えっ？」

獅子取は『撃鉄のポエム』を手にした。

「たしかにストーリーに無理は多く、リアリティのかけらもない。しかも文章は一々大げさで臭い。ハードボイルドもどきのギャグ小説と陰口を叩《たた》かれているのも頷ける。しかし販売実績を見ると不思議なことがわかる。まず二作目で、がくっと部数が落ちた。これはおそらく、一作目の『撃鉄のポエム』を読んで失望した読者が離れてしまったからだろう。ところがそれ以降だと、実売数は殆《ほとん》ど変わらない。ふつうなら、どんどん減っていくところだ。なぜ、そうならないのか」

「それは営業がいつも不思議がっていたことではあります」

「そこでもう一度、すべての作品を読み返してみた。そして一つの結論に達した」獅子取は太い腕を組んだ。「この作家は、くさや、だな」

「く、くさや？　あの臭い干物ですか」

「そうだ。食ったことはあるか」

「いいえ、ないです。一度、八丈島《はちじょうじま》に行った作家さんから貰《もら》ったんですが、真空パックを開封した途端、嫁さんと二人で悲鳴を上げまして……」

「捨てたのか」

小堺は頷いた。「ラップでぐるぐる巻きにして」

「そうか。俺は一度マンションの台所で焼いて、近所から苦情が来た。あの臭いは強烈だからな」

「あんな臭いものが食べ物だとは、とても信じられません」首を振りながらそういい、はっとした。「熱海さんの小説の臭さは、くさや並みだと？」

獅子取は頷いた。

「だけどな、くさやは食ってみると旨《うま》いんだ。食うには勇気がいる。あの臭さをくぐり抜けなきゃいかんからな。しかしそれを乗り越えて食ってみると、何ともいえない独特の味わいがある。熱海さんの小説もそうだ。臭い文体、強引な展開といったものに慣れてしまえば、不思議な魅力が見えてくる。大げさにいうと、癖になるんだ。だから少ないながらも部数が落ちない。固定読者がいるということだ。つまりもっと多くの人間に読まれたなら、今の何倍ものファンを摑《つか》むことができるかもしれない」

上司の力強い言葉を聞き、小堺は戸惑いつつも新鮮な思いに駆られていた。今まで、こんなふうに熱海の作品を捉えたことがなかった。世にある優れた作品と比較し、ただ欠点をあげつらってきただけのような気がした。

「新作はどうでしょう」小堺は訊いた。

「『撃鉄のポエム2』か」獅子取はにやりと笑い、傍らの原稿を摑んだ。「いいじゃないか。臭さに磨きがかかっている。芳醇《ほうじゅん》さが加わったといってもいい」

「すると書き直しは……」

「全く必要ない。このままで行こう」

上司の自信に満ちた口調に小堺は気圧《けお》された。全く予期しなかった展開だ。

ただし、と獅子取はいった。

「問題は、いかにして多くの人間に読ませるかだ。人は臭いものからは逃げる。近寄ろうとしない。しかし何とかして、書店に来た人が熱海さんの本を手に取るように仕向けなければならない。要は戦略だ」

「大々的に宣伝するということでしょうか」

「だめだ。現時点では特別な広告費は出ない」

「では、どうしますか」

獅子取は、口元に不敵な笑みを浮かべた。

「とりあえず打ち合わせだ。熱海さんのスケジュールを訊いてみてくれ」

3

いつもの喫茶店に現れた熱海圭介は、いつものように、休日のたびに大型スーパーへ買い物に連れ出されるお父さんのような格好をしていた。ポロシャツに膝の出たスラックスという出《い》で立《た》ちだ。髪は七三に分けている。

顔を合わせるなり、獅子取は『撃鉄のポエム2』を絶賛した。ハードボイルド小説の歴史に残ってもおかしくない作品、とまでいいきった。

熱海は嬉《うれ》しそうな顔をしながらも、当惑している様子だ。こんなふうに褒められたことがないからだろう。そもそも熱海が獅子取に会うのは、今日が初めてのはずだ。

「我が社としては、何とか『撃鉄2』をベストセラーにしたい、そう考えているんです」

「あ……はい」熱海は狐《きつね》につままれたような顔をしながらも頷く。

「しかしですね、今のままではだめなんです。売るためには、いろいろと改善していかなきゃいけない点があるんです」

「といいますと？」

「それはですね、一言でいうとキャラ作りです。読者に興味を持ってもらうためには、独特のキャラが必要なんです」

獅子取の言葉に、熱海は腑《ふ》に落ちないといった顔をした。

「小説のキャラクターが弱いということでしょうか」

すると獅子取は、「ノーノーノー」と人差し指を横に振った。

「小説の登場人物はあれでいいです。キャラを作ってほしいというのは、熱海さん、あなた御自身のことです」

「えっ」ぎょっとしたように熱海は身を引いた。「僕が？」

「そうです。こう申し上げては何ですが、ふつうすぎる。あんな臭い……濃いハードボイルドを書くからには、もっと強烈な個性が必要です。いや厳密にいうと、強烈な個性を持った作家だと読者に思わせなきゃだめなんです。まず大事なのは見た目です。こんな作家が書いた小説ってどんなのだろう、一度読んでみたいなあ——読者がそう思うようなビジュアルを目指しましょう」

しかし熱海はぴんとこないようだった。

「そういわれても、僕の姿が読者の目に留ることなんて、殆どありませんよ」

獅子取は薄く目を閉じ、ゆっくりと首を横に振った。

「それは今までの話。これからは違います。『撃鉄2』の刊行に合わせ、様々なメディアに出ていただきます。とりあえず、我が社のすべての雑誌でインタビューを受けていただく予定です。ラジオやテレビに対しても交渉中です。それまでに何としてでもキャラを確立していただかねばなりません。大衆の度肝を抜くようなキャラを」

熱海は、ぱちぱちぱちぱちと瞬《まばた》きした後、助けを求めるように小堺を見た。無理もない。書く小説の登場人物は破天荒だが、本人はいたって小心の凡人なのだ。

小堺は鞄《かばん》から一冊のファイルを出し、熱海の前に置いた。

「じつは獅子取と二人で相談して、熱海さんのキャラについては方針がほぼ決まっていきます。それをまとめたものがこれです。お渡ししておきますから、今後のインタビューなどでは、このキャラで通していただけると助かります」

熱海はファイルを開いた。中を一瞥《いちべつ》した途端、その目が大きく見開かれた。

「アフロヘアー？　僕がですか」

「熱海さん、髪型は重要ですよ」獅子取が身を乗り出す。「女の子なんて、髪型ひとつで可愛《かわい》く見えたりするじゃないですか。個性をアピールするには早道です。それだけに、誰かと間違われるような髪型にしちゃいけません。その点、現在アフロヘアーで知られている作家はいませんから、狙い目なんです」

「そういわれても、この短い毛をアフロにするのは不可能かと」熱海は自分の髪を触った。

「わかっています。だから当分の間は、かつらで対応してください。小堺に用意させます」

「すでに発注済みです」小堺がすかさずいった。

熱海は虚《うつ》ろな目になってファイルに視線を戻した。

「髭《ひげ》も生やすんですか」

「それはもうハードボイルドですから」獅子取が頭を下げる。「お願いします」

「このイラストでは煙草《たばこ》をくわえていますね。僕は吸わないんですが」

「らしいですね。小堺から聞いています。ですからそれは煙草ではなく禁煙パイプです」

「禁煙パイプ？　煙草を吸わないのに？」

「趣味で吸っている。それでいいじゃないですか。ちょっとぐらい変人のほうが魅力的ってものです」

熱海の顔がみるみる青くなっていく。小堺は見ているのが辛《つら》くなった。

「あの……赤色のレザージャケットって、こんなのどこで売ってるんですか」

「見つけてあります。衣装はすべて、こちらで用意します」小堺がいった。

「ヒョウ柄のスラックスも？」

「はい」

「熱海さんは、髭を生やしてくれるだけでいいです」獅子取がいう。「ビジュアルは、それで完璧だと思います。あとは態度や言動です。言葉遣いなど詳しく書いておきましたから、参考にしてください」

熱海はファイルの書類をぱらぱらとめくり、「僕にできるかなあ」と気弱な声を出した。

「できるか、ではなく、やるのです。熱海さん、あなた、売れたいでしょう？　それとも、永久に初版作家のままでいいんですか」

熱海は首を振った。「そんなことはないです」

「でしょう？　だったらがんばりましょう。我々を信じてください」獅子取はテーブルを両手で叩き、力強くいった。

4

「ではまず最初に、なぜこういう作品を書こうと思われたのか、そのあたりから伺ってよろしいでしょうか」

週刊誌の女性ライターに質問され、熱海は禁煙パイプを口にした。気持ちを落ち着かせるためだろう。指示通り、頭にはアフロヘアーのかつらを被《かぶ》っている。

「なぜか、と訊かれても困りますね。閃《ひらめ》いたとしか答えようがない。僕……俺のこれまでに見聞きした経験が、不意に小説として形になることを望んだ。まあ、そういうことじゃないのかな」熱海は、用意された台本通りに述べた。もちろんその台本は、小堺が獅子取と話し合って書いたものだ。

「でも作品を読ませていただきますと、とても事実とは思えないような奇抜な設定とかが出てきますよね。機関銃を搭載した自家用ヘリが夜ごと隊列を作って飛び回るとか、旅客機の機長が元ヤクザで短刀を携帯しているとか、国会議事堂の地下に秘密の駅があって、武装した列車がすべての地下鉄路線に乗り入れられるとか。ああいうのは、どこから出てくるんですか」

「そのへんはまあ、俺のオリジナルではある。だけど全くの空想ってわけでもない」

「えっ、だけどリアリティが全然……いえその、現実とは違う世界を描いておられるように感じるんですけど」

「それはねえ、わざとそうしているわけ。俺の知っていることをそのまま書いたら、各方面に対していろいろとまずいんですよ。下手《へた》をしたら、命を狙われるかもしれない。

昔、人種差別批判のためにロボットを主人公にしたマンガを描いた人がいたでしょ。あれみたいなものです」

「はあ、そうなんですか」女性ライターは変わった生き物を見るような顔で曖昧に頷いた。

インタビューはこれで三つ目だった。これからもまだいくつかある。もちろん、黙っていたのでは、どこからも声がかからない。獅子取と小堺が伝手《つて》を駆使し、取材してもらえるよう、あらゆる媒体に頼みまくったのだ。

最初は緊張気味だった熱海も、インタビューには慣れてきたようだ。口調に固さがなくなってきたし、カメラマンに写真に撮られる時の表情にも余裕が出てきた。レンズを向けられた時、咄嗟《とっさ》に眉間に皺《しわ》を寄せるのは、獅子取が指示したことだ。

小堺は手元の本に目を落とした。ピストルと赤い薔薇のイラストが描かれ、その上に、『銃弾と薔薇に聞いてくれ～撃鉄のポエム2』とタイトルが載っている。十日前に発売された。初版部数は、熱海の本としては最高の七千部だ。絶対に売る、と獅子取が営業を説得して勝ち取った。

帯には、警察小説の大御所である玉沢義正の推薦文が書かれている。次のようなものだ。

この作品を読了した自分自身に祝杯をあげたい——。

玉沢先生、苦労したんだろうな、と小堺は思った。聞けば、最初は難色を示されたらしい。だが六本木《ろっぽんぎ》の路上で獅子取が得意の土下座を敢行し、ついにはＯＫを貰ったという。さすがは伝説の編集者だ。

インタビューと写真撮影が終わり、女性ライターとカメラマンは会議室を出ていった。熱海は禁煙パイプを置き、ふうーっと息を吐くと、アフロヘアーのかつらに手をかけた。

「だめですよ、まだ外しちゃ。この後、サイン会があるんですから」

「あっ、そうか」熱海は手を下ろした。

「それに前にもいいましたけど、ふだんでも人前では外しちゃだめですよ。自前の髪っていう設定なんですから」

「あっ、はい……。それにしても結構疲れますね、インタビューって」

「まだまだこれからです。泣き言いってちゃだめですよ。本を売るためです。我慢してください」

「それはわかってますけど、本当にこういうキャラクターでいいんですかねえ」熱海は額を掻く。アフロヘアーの毛先が触れて、痒《かゆ》いのだろう。

「読者というのは、自分とは違う種類の人間に興味を持ち、憧《あこが》れるんです。まず、変人熱海圭介に注目してもらう。その後、こんな人間ならどういう小説を書くんだろうと関心を持ってもらう。どうすれば熱海さんの本を手に取ってもらえるか、僕たちが過去の事例を分析して得た結論です。信用してください」

「いえ、それはもちろん信用していますけど」熱海は目を伏せた。奇抜な衣装に身を固めているが、その佇《たたず》まいは平凡な庶民そのものだった。

サイン会は都内の大型書店で行われることになっていた。無論、獅子取が強引に話をまとめたのだ。交換条件として、来月ほかの書店で開かれる予定だった玉沢義正のサイン会をこっちに回す、という力業《ちからわざ》を使ってのものだった。

書店の事務所に行くと獅子取が店長と共に待機していた。熱海の姿を見て、店長はぎょっとしたように目を剥《む》いた。

「今日は、これが目標だから」獅子取が右手の指を広げた。「五十冊。大丈夫、手は打ってある」

「社内の手の空いている者を動員するんですね」

「それだけじゃない。まあ、見てなって」獅子取は不敵な笑みを浮かべた。

やがて書店の一角でサイン会が始まると、どこから現れたのか、人の列ができた。小堺はほっとした。獅子取の言葉に嘘《うそ》はないようだ。

熱海は一心不乱にサインを書いている。書体を適度に崩した字だが、これもまた小堺たちが授けたものだ。知り合いの書道家に考案してもらったのだ。

次々とやってくる客たちの顔ぶれを見て、小堺は得心した。社内の者が多いが、若い女性の姿がやたらと目立つ。そのうちの何人かは、小堺もよく知っている銀座や六本木のホステスだった。どうやら獅子取が、行きつけの店に声をかけて回ったようだ。

だがそれ以外に、明らかに異質な一団がいた。年齢層は五十歳以上というところか。東京見物に来た老人グループといった雰囲気がある。そのうちの一人の老婦人が、熱海に向かってしきりに手を振っている。それに気づいたのか、熱海は顔をしかめた。

「あの人たちってもしかして……」小堺は隣にいる獅子取に小声で訊いた。

獅子取は舌なめずりした。

「熱海さんの実家に連絡して、今日のサイン会のことを教えたんだ。もしよければ顔を出してやってくださいってね。期待通り、親戚一同を連れてきてくれたみたいだな」

さすがだなあ、と小堺は感心するしかない。親戚も利用するのか。

その親戚一同に順番が回ってきた。

「おい、圭介っ。何だ、その格好は」一人の老人が険しい口調でいった。どうやら熱海の父親らしい。顔がよく似ている。

「うるさいなあ。ほっといてくれよ」熱海がサインした本を返しながら答えた。

「ほっとけるか。わしはおまえをそんなふうに育てた覚えは――」

「まあまあ、まあまあまあ」獅子取が間に入った。「本日は遠いところ、誠にありがとうございます。あちらにお茶など御用意させますので、どうぞおくつろぎください」

「待ってくれ、息子にまだ話が」

「いえいえいえ、まあまあまあまあ」獅子取は父親の肩をがっしりと摑み、どこかへ連れていった。

そんな騒ぎもあったが、何とかサイン会は無事に終了した。熱海を見送った後、小堺は獅子取と共に、書店巡りをすることにした。無論、『撃鉄のポエム2』の売れ行きを確認するためだった。単に店頭を眺めるだけでなく、店長や書店員からも話を聞くのだ。なるべく目立つ場所に置いてもらうよう頼むことも忘れてはならない。

三軒ほど回ったところで喫茶店に入った。席につき、アイスコーヒーを飲んでから、獅子取は携帯電話をいじった。メールのチェックをしているようだ。

「くそー、やっぱり今日もだめか」画面を見ながら獅子取はいった。

「売れ行き、伸びてませんか」

「うん。昨日と同じようなものだ。今朝の新聞広告は効果なしか」

「あれだけ小さいとねえ。最近は新聞を読まない人も多いし」

「広告に、もっと金をかけられたらなあ」獅子取はしかめっ面《つら》で頭を掻いた。

書店を回っての手応《てごた》えは、残念ながら芳《かんば》しいものではなかった。しかも書店員らは、売れなくて当然、と思っているようなのだ。「どうして灸英社さんが、こんな本に力を入れているのかわかりません」と、はっきりいう書店員までいた。

「どこかにもっといるはずなんだ、あの小説にハマる人間たちが。くそー、一体どこにいるんだ。どこに隠れていやがるんだ」ストローを使わずにアイスコーヒーをがぶ飲みした後、獅子取は苛立《いらだ》った口調でいった。

「来週以降、インタビュー記事が次々と出てくるはずですから、そうなれば何か変わってくるんじゃないでしょうか」

「そうだな。ラジオ番組の中で熱海さんにインタビューしてもらう話もつけたし、勝負はこれからだ」獅子取は自分を勇気づけるように頷きながらいった。

5

熱海圭介の新作『銃弾と薔薇に聞いてくれ〜撃鉄のポエム2』が発売されてから、一か月が経《た》とうとしていた。小堺たちの職場の雰囲気は暗かった。理由はほかでもない。『銃弾と——』が売れていないからだ。いうまでもないことだが増刷などしていない。

　ここ数日、獅子取は自分の席で悩み続けている。何がいけなかったのかがまるでわからない、という。

「完璧にやったはずなんだ。金はかけられなかったから、代わりに手間をかけた。本をよく読むという読書家から、たまにしか読まない、あるいはタレント本ぐらいしか興味がないという読書嫌いまで、すべての人間たちにメッセージを届けた。それなのに、なぜ反応がない？　あの本にハマるはずの人間たちが、なぜ書店に向かわないんだ」

　そういう人間は結局いなかったのではないか、という小堺の意見に対しても、それはない、と断言した。

「いないはずはない。どこかにいる。この俺の勘が狂っていたことなど、これまで一度もない。何かが間違っていたんだ」そういって拳を握りしめたのだった。

　今日も獅子取は窓のほうを向き、外を眺めている。いやおそらく何も見ていないだろう。頭の中は、『銃弾と——』のことだけのはずだ。

　小堺の携帯電話が鳴った。熱海圭介からだった。重要な話があるから会ってほしい、というのだった。いつもの喫茶店で会うことにした。

店に入ってみて驚いた。熱海が先に来ていたからではない。アフロヘアーではなかったからだ。

「だめじゃないですか、アフロはどうしたんです」席につくなりそう訊いた。

熱海はゆっくりとかぶりを振った。

「話というのは、そのことです。じつはもうアフロヘアーはやめさせてもらいたいんです。いえアフロだけでなく、赤のレザージャケットもヒョウ柄のスラックスも禁煙パイプも」

「どういうことですか」

だって、と熱海はやや恨みがましい目を向けてきた。

「結局、効果はなかったじゃないですか。本、売れてないじゃないですか。いろいろとやっていただけて感謝はしています。でも、もうキャラ作りは勘弁してください。実家の親からも文句をいわれてるんです」

「……そうですか」

「さっきも本屋に行ってきました。でも、僕の本はもう置いてなかった」

でしょうねえ、と相槌《あいづち》を打つわけにもいかず、小堺は黙り込んだ。

「どうしてかなあ」ため息まじりに熱海はいった。「どうしてみんな、あの小説の良さに気づいてくれないのかな」

それはくさやだからです、といいたかったが、ここでも小堺は黙っていることにした。

6

女子高生は書店の棚の前で迷っていた。ようやく見つけた本を買うべきかどうか。千九百円は痛手だ。でもここで買わないと、今度いつ見つけられるかわからない。ネットでは注文できない。留守中に届いたら、親が勝手に開封するだろうから。

その本のことを知ったのは、ある雑誌に載っていたインタビュー記事でだった。取材されているのは熱海圭介という作家だった。

それを読んで女子高生は、自分と同じ種類の人だ、と思った。

無理して生きている。自分を偽りながら毎日を過ごしている。

外見が、それを物語っている。アフロヘアーなんて、本当はやりたくないはずだ。赤いレザージャケットなんか着たくないし、ヒョウ柄のパンツも禁煙パイプも、捨ててしまいたいと思っている。

でもそれができない。

本当の自分をさらけ出したくないからだ。それをするのが怖いのだ。

記事によれば、その作家が書いたのは、「悪と暴力と人間の本性を異次元世界でシェイクしたような作品」らしい。

読んでみたいと思った。ストーリーが面白そうと思ったわけではない。自分を偽りながら生きている作家が、どんなものを書いたのかを知りたかったのだ。

そこで作家のデビュー作だという『撃鉄のポエム』を買い、読んでみた。

すぐに夢中になった。こんな小説があったのかと驚いた。

思った通りだった。そこに描かれているのは絵空事の世界だった。悪人は出てくるが、現実の悪人とは違う。犯罪だって、本当の犯罪じゃない。そして正義の味方が出てくる。現実の世界にはどこにもいない正義の味方が。

しかし、だからこそ読んでいて解放感を味わえる。自分が小説に求めているのは、ハラハラやドキドキではない。徹底した安心感だ。心が解放される感触だ。

あの人だから、こういう小説を書けるのだと思った。

本当の自分を隠しているから、そのストレスが作品にぶつけられているのだ。

女子高生は『撃鉄のポエム』を一晩で読んだ。当然、続編である『銃弾と薔薇に聞いてくれ～撃鉄のポエム2』も読みたいと思った。

ところが見当たらない。学校帰りなどにいくつかの書店を回ったのだが、どこにも置いていなかった。書店員に訊けばいいのだろうが、女子高生にはそれをする勇気がなかった。どういう本を読むのか、他人に知られるのが嫌なのだ。本当はレジに出すのも嫌なのだが、それを避けたのでは本を買えない。

だが今日、たまたま寄ったこの書店で見つけたのだ。運命の出会いのような気さえした。

意を決して彼女は本を手にした。俯《うつむ》いたままレジに向かい、カウンターに置いた。代金を払い、レジを離れた。その時、後ろで店員たちが話すのが聞こえてきた。

「不思議だなあ。また売れたよ、『撃鉄2』。今日、二冊目だぜ」

「へえ。他店でも、一昨日《おととい》あたりから動いているみたいですよ」

「そうか。よし、これは波が来そうだ。おい、熱海圭介の本を注文しといてくれっ」威勢のいい声が店内に響いた。

職業、小説家

1

娘の元子から、会ってほしい人がいるので今度家に連れてきたいといわれたのは、夕食を終えた後のことだった。爪楊枝《つまようじ》で歯の掃除をしていた須和光男《みつお》は、ぎくりとした。もう少しで爪楊枝の先で歯茎を突き刺すところだった。

ついに来るべき時が来たのか、と覚悟を決めた。しかし狼狽《ろうばい》を悟られたくはなかった。湯のみ茶碗《ぢゃわん》を引き寄せ、わざとゆっくり茶を啜《すす》った。

ふうん、と関心のなさそうな声を出した。「もちろん、男だよな」

そう、と娘は頷《うなず》いた。

ふうん、と光男はもう一度いった。妻の邦子《くにこ》は台所で洗い物をしている。もしかしたら、今夜このように切り出すことは、事前に元子から聞いているのかもしれない。妻と娘は、これまでもあらゆる場面で結託してきた。

「どういう人だ」光男は訊《き》いた。ぶっきらぼうな口調にならないよう気をつけた。

「それがね」元子は唇を舐《な》めてからいった。「お兄ちゃんの高校の同級生なんだ」

「秀之《ひでゆき》の？　どうして元子が秀之の友達と付き合ってるんだ」光男は素朴な疑問を口にした。元子より五歳上の秀之は就職し、すでに家を出ている。

「それはまあ、いろいろとあって……。説明すると長くなるんだけど、簡単にいうと、お兄ちゃんと彼と三人で飲みに行ったことがあったんだ。それがまあ、きっかけかな」

少し歯切れが悪い。男との出会いを父親に詳しく話すのは抵抗があるようだ。

だが光男は幾分ほっとしていた。息子の友人なら、ある程度は信用できそうな気がした。

「どこの会社に勤めてるんだ」光男は訊いた。親としては一番気になることだ。一流企業でなくてもいいが、なるべく安定した会社に勤めてくれていたほうが安心だ。

ところが元子の口から出てきた答えは、光男には一瞬理解できないものだった。

「会社員じゃないよ。モノカキなの」

「モノカキ？」

何だそれは、と訝《いぶか》しんだ。漢字すら思い浮かばない。

「はっきりいうと作家。小説を書いてるの。だから小説家っていうのが一番正確かな」

「しょ、しょーせつかあ？」

思わず口をあんぐりと開けた。想像もしない答えだった。

元子は一冊の本を出してきた。表紙のイラストがやけに派手だ。タイトルは、『虚無《こむ》僧探偵《そうたんてい》ゾフィー』とあった。全く意味不明だ。

「これがデビュー作。灸英社の新人賞を獲《と》って、今一番注目されている若手作家なんだ」元子は目を輝かせ、自信に満ちた口調でいった。「この唐傘ザンゲっていうのがペンネーム。面白いでしょ。本格不条理ミステリを書かせたら、今一番だっていわれてて――」恋人の活躍ぶりについて、熱く説明を始めた。

だがそれらの話の半分も光男の耳には入っていなかった。小説家と聞いた瞬間から頭の中が混乱し始めていた。

そういう職業があることはわかっている。書店に並んでいる多くの小説は、どこかの誰かが書いたものなのだろう。出版社があり、それらの本を売って、利益を上げているのかもしれない。

しかし光男にとっては異世界の話だった。そこは自分たちのいる場所とは地続きではなく、当然そこにいる人間たちと関《かか》わることもないと思っていた。

いいたいことだけをいうと、「そういうことだから、よろしくね」といって元子は自室に引き上げていった。光男は殆《ほとん》ど何も訊けなかった。質問自体が思いつかなかったのだ。

台所から戻ってきた邦子が、元子と相手の男——只野六郎との出会いについて細かく教えてくれた。きっかけは元子が只野のデビュー作を読み、感動して手紙を書いたことらしい。それで秀之と三人で会うことにしたという。どうやら邦子は、ずいぶん前から詳しい事情を知っていたようだ。

「どうしてもっと早く、俺に話さなかった？」光男は邦子に不満をぶつけた。

「だって元子が自分から話すっていうから」

光男は舌打ちをした。「一体どうするんだ」

「どうするって、何が？」のんびりした口調が光男を苛立《いらだ》たせる。

「相手の男のことだ。小説家なんて、そんないい加減な仕事でいいと思ってるのか」

「小説家は、いい加減な仕事ではないでしょう？」

光男は頭を掻《か》きむしった。

「じゃあ、ちゃんと食っていけるのか。家族を養っていけるのか。どうなんだ」

「そんなこと、私にいわれても……」

「それが大事なんだ。……ったくもう、なんでよりによってそんな男を」

「だったらさっき、どうして元子にそういわなかったのよ」

「それは……おまえが何か聞いてると思ったからだ」

茫然《ぼうぜん》自失していて、頭の中が真っ白だったとはいえなかった。

「元子は馬鹿じゃないわ。良い人だと思ったから選んだのよ。もっと自分の娘を信用したらどうなの?」邦子がいった。正論だけに、余計に光男の神経を逆撫《さかな》でする。

「うるさいっ。そういう問題じゃない」乱暴にいい放つと、席を立った。

2

光男にとって落ち着かない日々が始まった。彼は繊維会社に勤務している。だが元子のことが心配で、仕事が手につかなかった。

職業、小説家——。

それはどうなのか。じつのところ光男にはよくわからなかった。会社員なら無論のこと、一般的な自営業者であれば、その人物が職業人としてどの程度に安定性を持っているかは判断する自信があった。しかし今回のケースでは、彼の経験や知識はまるで役に立たなかった。本といえばビジネス書か実用書ぐらいしか読んだことがない。知っている小説家を上げてみろといわれれば、芥川龍之介《あくたがわりゅうのすけ》とか夏目漱石《なつめそうせき》の名前を出すのがやっとだ。それにしても、ちゃんと読んだことがあるわけではない。

　昼休みになってもそんなことをぼんやり考えていると、少し離れた席で女子社員が文庫本を読んでいるのが目に入った。彼女が以前、読書好きだと話していたのを光男は思い出した。

「君、いつも本を読んでいるね」近づきながら話しかけてみた。「それ、小説？」

　女子社員は驚きと困惑、そして緊張の混じった顔を上げた。昼休みに、こんなふうに上司から話しかけられたことなどあまりないからだろう。光男の肩書きは部長だ。

　そうです、と彼女は小声で答えた。

「そうか。どういう小説？」

　女子社員は少し間を置いてから、「純文学です」と答えた。

　この回答に、光男は不安な思いに駆られた。純文学――時々耳にするが、その意味がわからない。

　そばの椅子を引き寄せ、腰を下ろした。「少し話をしてもいいかな。小説についてなんだけど」

　はい、と女子社員は本を閉じて置いた。目には当惑の色が浮かんだままだ。

「君、唐傘ザンゲという作家を知ってる？」

「カラカサ?……さあ」首を捻《ひね》った。「どういう小説を書いている人ですか」

「それが、よくわからないんだ。親戚の子供がその作家のファンらしいんだけど」

「エンタメのほうじゃないんですか」

「エンタメ?」

「エンタテインメント系です。ミステリとかホラーとか。それともラノベかな」

まるでちんぷんかんぷんだ。頭が痛くなってきた。

「そんなにいろいろあるの?」

「あります。特にエンタテインメントのほうは」

「ということは、作家もいっぱいいるんだろうね」

「そりゃあもう」彼女は大きく頷いた。「私、結構たくさん読んでますけど、知らない作家なんて無数にいます。今は誰でも簡単にデビューできちゃうし」

「誰でも? まさか」

「いえ、そうですよ」女子社員は自信たっぷりの顔で断言した。「誰でもっていうのは大げさですけど、そんなに難しくはないと思います。だって、新人賞なんて腐るほどあるし」

新人賞と聞き、光男は身を乗り出した。「そんなにあるの?」

「ありますよお」彼女は背筋を伸ばした。「有名な賞から聞いたことのない賞まで含めたら、たぶん百個以上あります」

「そんなにっ」光男は目を剝《む》いた。

「本を出してデビューまでできる賞となると、五十個ぐらいでしょうか。ああでも、佳作でもデビューさせてくれるところもあるから、新人賞をきっかけにデビューする数はやっぱり百人ぐらいかなあ」女子社員は腕組みしたままで、ぶつぶつと呟《つぶや》いている。

光男には彼女が小説の権威に見えてきた。少なくとも今の彼にとっては師匠だ。

「すると新人賞といっても、ピンからキリまであるということ？」

「もちろんです。これを獲れば確実にベストセラーになるという賞もありますし、受賞しても何の仕事もないという賞だってあります」

光男は暗い気持ちになってきた。元子の恋人は、どっちのタイプの賞を獲ったのか。

「部長、どうしてそんなことをお尋ねになるんですか」

「あ、いや、その」咳払《せきばら》いをした。「さっき話した親戚の子が、小説家になりたいなんていってるそうなんだ。といっても、まだ中学生だけどね」

「ああ、そういうことですか。中学生ぐらいなら考えるかもしれませんね。私も、ちょっと考えたことがあるし」

「あっ、そうなんだ」

「いいじゃないですか。中学生ぐらいなら、その程度の夢があっても。大学生でそんなことをいってたら洒落《しゃれ》になりませんけど」

「えっ、そうかな」どきりとした。

「そりゃそうですよ。デビューしても長続きしないのが小説家の世界なんです。小説だけで食べていける作家なんて、ほんのわずかです。多くの作家が、ほかに仕事を持ってるって話ですよ。出版不況だし、読書離れに歯止めはきかないし、将来性っていう点でいったら、かなり厳しい職業だと思いますよ」

女子社員の言葉は太いナイフのように光男の胸にどすどすと突き刺さった。

3

よく晴れた日曜日の午後、只野六郎が須和家にやってきた。紺色のスーツにネクタイという出《い》で立《た》ちだったので、光男はとりあえず安堵《あんど》した。常識では考えられない服装で現れられたらどうしようかと不安だったのだ。直立した姿勢から、只野六郎です、と丁寧に頭を下げたしぐさにも好感が持てた。

ダイニングテーブルを挟み、向き合う形になった。元子は只野の隣に座っている。邦子は紅茶を出した後、またすぐに台所に立ってしまったので、光男が主に話をするしかない。世間話を少しした後、まずは只野の両親について尋ねてみる。

「両親は神奈川の厚木《あつぎ》にいます。父はサラリーマンでしたけど、一昨年《おととし》定年退職して、今は農業の真似事《まねごと》を」只野は、すらすらと答えた。

「ほう、親父《おやじ》さんは会社員だったのかね」それなら話が合いそうだと思った。「どういう会社かな」

「広告代理店です。といっても小さな会社ですけど」

そっちか、と光男は落胆する。同じ会社員といっても、人種が違う。

話がなかなか続かない。邦子は果物を切っているが、いつも以上に手間取っているように感じられた。

じつは昨夜、秀之に電話をかけた。同席してもらおうと思ったのだ。だがにべもなく断られてしまった。兄貴なんてお呼びじゃないはずだ、というのだ。

「只野は良いやつだぜ。「話してみればわかるよ」それだけいって秀之は電話を切った。

光男はティーカップを引き寄せた。しかしすでに空っぽだった。

お父さん、と元子が口を開いた。「六郎さんに訊きたいこととかあるんじゃないの？」

「いや、別に訊きたいとかってことは……」空のティーカップを手の中でこねまわす。

「どうか、何でも訊いてください。遠慮なく」只野が真摯《しんし》な目を向けてきた。

光男は視線を落としてティーカップを置き、ふっと息を吐いた。

「小説をお書きになっているとか」そういってから再び只野を見た。

はい、と娘の恋人は目をそらさずに答えた。力強い声だった。

「小説家になる前は？」

「プログラマーでした。コンピュータの」

「その仕事はもう……」

「やめました。両立は大変なので」

両立してほしかったなあ、という本音を光男は呑《の》み込んだ。

「どうして小説家になろうと思ったわけ？」

只野は小さく首を傾《かし》げた。「何となく……でしょうか」

「はあ？」

「いつ頃からかはわかりませんが、気がついたら小説を書きたいと思うようになっていました。それで試しに書いてみて新人賞に応募したら、受賞しちゃったんです。人生ってわからないものです」只野は屈託なく笑う。その顔を見ていると、悪い人間ではないのだろうなとは思う。

ようやく邦子が、皿を載せたトレイを持ってやってきた。皿にはフルーツが盛ってある。

「只野さんの小説、読ませてもらったわ。『虚無僧探偵ゾフィー』、すっごく面白かった」フルーツを皆に配りながら邦子はいった。

「ラストの仕掛け、気づかなかったでしょ」元子が答える。

「全然わからなかった。最後の最後で、びっくりしちゃった」邦子は自分の胸を押さえた。

下手《へた》な芝居をしやがって、と光男は腹の中で毒づく。邦子が只野の作品を読んだのは事実だが、「さっぱり意味がわからなかった」とこぼしていたのだ。

だが光男に妻をけなす資格はない。彼の場合は数ページ読んだだけでギブアップしてしまったからだ。最初の一行目から理解できなかった。

じつは今日に備えて、光男は大きな書店を何軒か覗《のぞ》いて回った。唐傘ザンゲがどのレベルの作家なのかを確認するためだ。

すべての書店に置いてあったのは、デビュー作『虚無僧探偵ゾフィー』の文庫本だけだった。そのほかには、三か月前に出た単行本が、いくつかの書店で書棚に入っていた。ただし平積みの売り場に置いている店は一軒もなかった。

この状況に、益々《ますます》不安になった。店に置いていないということは、当然売れる機会もないわけだ。つまり儲《もう》からない、収入はゼロに等しいということではないのか。

しかし悪いことばかりではなかった。光男は唐傘ザンゲの本を探すため、書店員に尋ねてみたのだが、意外なことに半数以上が彼の名前を知っていた。ちゃんと『虚無僧探偵ゾフィー』の文庫本が置かれている場所まで案内してくれたのだ。

そこで次のように訊いてみた。

「この人、売れてるんですか」

それに対する書店員の反応は、どの店でも似たようなものだった。

「『虚無僧探偵ゾフィー』は、そこそこ売れたんですけど、その後は苦戦していますね。これまでの作家にはない魅力があるし、読めば面白いんですけど、ちょっとマニアックなのかなあ。でもとにかく才能はある人だと思います。業界で注目されているから、そのうちに売れるんじゃないでしょうか」

誰もが、マニアックとか、コアなファンにはうける、という意味のことを口にした。だが頭から否定的なことをいう者はいなかった。少なくとも書店員たちからは才能を認められているようだった。

　光男は頭を抱えた。才能はあるが、今はまだ売れていない――これをどう評価すればいいのか。逆ならいいのにな、と思ってしまう。才能はないが本は売れている、ということなら、ひとまず安心なのだが。

　ふと我に返ると、邦子が只野にあれこれと質問していた。肉と魚ではどちらが好きかとか、くだらないことばっかりだ。もっと肝心なことを訊け、と腹立たしくなった。

「ところで唐傘ザンゲって面白いペンネームねえ。何か由来はあるの？」

　またしてもどうでもいいことを訊く。光男は貧乏揺すりをした。

「僕の小説はトリックが生命線なので、名前にからくりという言葉を入れようと思いました。それでいろいろと調べていたら、唐傘のことを昔、からくり傘といっていたと知ったんです。じゃあ、ちょっと捻って唐傘を名字にしようと」

「へええ、じゃあザンゲは？」

「それは読者に対する僕の気持ちです。からくりで騙《だま》すわけですから」

「あ、そーなんだ」

「あの、只野君」じれったくなり、光男は口を挟んだ。「君が小説家をしていることについて、御両親はどのようにいっておられるかな」

か。

「それはもちろん、応援してくれています」

もちろんなのか、とがっかりした。なぜ、もっとふつうの仕事に就け、といわないのか。

「心配はされてないのかな。その、収入面とかで」

元子の顔色がさっと変わるのを光男は目の端で捉えた。後で文句をいわれるだろうが、仕方がない。

「心配はしていると思います。仕送りしようか、なんていわれたこともありますし」

「それで、まさか、その仕送りを……」

「断りました」只野は笑顔で答えた。「仕送りしてもらうぐらいなら、ほかの仕事を探します」

そうしなさい、今すぐにほかの仕事を探しなさい——言葉が喉元まで出かかった。

「須和さん」不意に只野が真顔になり、ぴんと背筋を伸ばした。目に真剣な光が宿っている。「今後僕は、一年間に単行本を最低でも二冊出そうと思っています。僕の本は、大体一冊千八百円ほどです。僕の取り分は、そのうちの十パーセント、百八十円ということになります。問題は部数ですが、今はまだ七千部ほどです。百八十円かける七千で百二十六万円。これが二冊ですから、倍の二百五十二万円が単行本によって僕が一年間で得る収入です。部数が減れば、それだけ収入も減りますが、そんなことのないようにがんばっていくつもりです」

淀《よど》みなく話す只野の口元を、光男は呆然《ぼうぜん》と見つめた。何かいおうと思うが、言葉が見つからない。

「でも収入はそれだけではありません。僕たち駆け出しの作家の場合、本の印税と共に雑誌の原稿料も重要です。原稿料というのは、四百字詰め原稿用紙の枚数で換算され、僕の場合、一枚あたり四千円ほどです」

「それは灸英社の場合でしょ。五千円くれる会社だってあるじゃない。単行本の部数にしても、八千刷ってくれたところだってあったし」横から元子がいう。

「今は最低ラインの話をしているんだ。だってお父さんがお知りになりたいのは、僕が最低でもどれだけ稼げるかってことなんだから」只野は冷静な口調でいった。

光男は小さく咳払いした。図星だった。

只野が視線を光男に戻した。

「これまでの実績でいいますと、六十枚ほどの短編小説を三か月に一作のペースで書いてきました。一年間に直すと二百四十枚で、原稿料四千円をかけると、九十六万円になります。これに先程の単行本印税二百五十二万円を足した合計三百四十八万円が、現在の僕の年収ということになります。もちろん、ここから税金が引かれるわけですから、手取り収入はもっと低くなってしまいますが」

すらすらと述べるのを聞き、おそらく事前に計算し、数字を覚えてきたのだろうと光男は推察した。誠実な人柄で、元子もそこに惹《ひ》かれたのかもしれない。

須和さん、と只野が再び呼びかけてきた。

「以上が、僕の経済力です。でも、あくまでも現時点のものです。ここから上に向かって進んでいくつもりです。ですから――」ぐいと顎を引き、続けた。「どうか、僕と元子さんとの結婚を前提とした交際を認めていただけないでしょうか」

いきなりのストレート・パンチだ。実際にくらったように、光男は一瞬目眩《めまい》がした。

「いや、あの、その」しどろもどろになった。言葉が出てこない。

「お父さん、お願い」元子がいった。

「いいんじゃないの。ねえ?」邦子が能天気に同意を求めてくる。

「うん、まあ、その、別に反対する気はない」声が震えた。「とにかくまあ、二人でよく考えなさい」辛うじてそれだけいった。

4

「小説家？　何という名前だ」友人の大原《おおはら》が小さい目を見開いた。光男とは同期入社で、今も時々二人で飲む。

「いや、いってもたぶん知らないと思う」

「いいからいってみろよ。こう見えても、時代小説とか結構読んでるんだ」

「そうか。まあ……唐傘ザンゲっていうんだけどさ」

「カラカサ？　何だ、それ。聞いたことないな」

「そらみろ。だからいったじゃないか」

大原は生ビールの残りを飲み干し、手を上げた。

「おーい、おねえさん。こっちに生のおかわり一つ。——須和、それ、まずいぞ。自称小説家で、じつは無職っていうパターンじゃないのか」

「いや、新人賞を獲って、一応実際に本は何冊か出してる。収入はあるようだ」

「いくらぐらい？」

「それは……詳しくは知らないが、食ってはいけるみたいだ」

三百万そこそこ、とはいえなかった。

「いかんなあ、それは。小説家なんて、一番危なっかしい職業じゃないか。仮に今収入があったとしても、今後どうなるかわからんぞ。売れなくなったらおしまいだろうが」

「そうなんだよなあ……」

大原は光男が気にしていることを遠慮なく指摘してくる。励ましてくれることを期待して誘ったのだが、全く逆の結果だ。しかし自分が反対の立場だったら、やはり同じようにいうだろうな、とも思う。

元子が只野六郎を家に連れてきてから一か月が経《た》とうとしている。この間、光男の心は落ち込んだままだ。娘をほかの男に奪われるというだけでも辛《つら》いのに、嫁ぎ先が小説家とは。光男には根無し草のようにしか思えない職業だ。

しかもつい先日は、元子がとんでもないことをいいだした。只野の助手兼秘書をすることにしたから会社を辞めるというのだ。

もちろん光男は反対した。もしどうしても二人が結婚するというなら当分は共働きをさせるしかないな、と考えていた矢先のことだった。

「作家って、執筆以外にもやらなきゃいけないことがいっぱいあるの。スケジュール管理とか資料集めとか税金の計算とか。ただでさえ忙しい六郎君には、そういうところに時間を使ってほしくないわけ。執筆に専念してもらいたいの」

「そんなに忙しいのに、年収は三百万か」いってはいけないと思いつつ、口にしていた。

　案の定、元子は目尻を吊《つ》り上がらせた。

「だからそれをもっと増やしたくて、あたしが手伝うことにしたんじゃない」

「何いってるんだ。相手が半人前なのに、おまえまで無職になって、どうやって生活していく気だ」

「彼は半人前じゃないっ。それに心配しなくても、お父さんに迷惑をかけたりしないからっ」元子は目に涙を浮かべ、声を張り上げて反論した。子供の頃から頑固だった彼女は、ここでも引き下がることはなかった。宣言通り、翌日には辞表を出してきた。

「俺なら、何とかして別れさせるな。それが父親の役目だ」大原は、アルコールで少し呂律《ろれつ》が怪しくなった口調でいった。

　光男は曖昧に頷きながら、そう簡単にいくかよ、と腹の中で反論していた。他人事《ひとごと》だからいえるのだ。

5

邦子の言葉に、光男は箸を止めた。今夜も二人だけの夕食だ。元子は只野のところに行っている。帰ってくるのは、大抵九時を過ぎてからだ。

「てんかわ……何だって？」

邦子は傍らに置いてあった分厚い雑誌を手にした。正確には小説誌というものらしい。表紙には『小説灸英』とある。そういう書物があること自体、光男は最近知った。

これ、といって邦子は小説誌のページを開いた。そこには次のようにあった。

第一回天川井太郎賞候補作決定——。

「新しく作られた文学賞なんだって。それの候補に只野さんの作品が選ばれたそうよ。本人たちにはもっと前に知らせがあったらしいけど、正式に発表されるまでは黙ってなきゃいけなかったみたい」

光男は小説誌を引き寄せた。たしかに候補作の中に、『煉《れん》瓦《が》街《がい》諜《ちょう》報《ほう》戦《せん》術《じゅつ》キムコ　唐傘ザンゲ』という文字があった。

「それを獲ると、どうなるんだ。売れるのか」

「元子は、それなりに話題にはなるはずだっていってた。第一回ってことで、灸英社も宣伝に力を入れてくれるだろうからって」

「これ、いつ決まるんだ」

「今週の金曜日」

ふうん、と光男は鼻を鳴らす。文学賞といえば、直木賞ぐらいしか知らない。

会社を辞めて以来、元子は明らかに光男のことを避けている。顔を合わせれば、あれこれ小言をいわれるとでも思っているのだろう。だから光男は只野の仕事について、たまに邦子から聞かされる以外のことは何も知らなかった。

「それにしても遅いな、元子のやつ。こんな時間まで、一体何をしてるんだ」

「只野さんの夜食を作ったりしてるそうよ」

「夜食？　彼は夜型人間か」

邦子は首を振った。

「元子によれば、朝から仕事をしているそうよ。でも一日に書く原稿枚数のノルマを決めていて、それが終わらないかぎりは寝ないんですって。彼、自分が納得できるまでは何度でも書き直すので、結局仕事が終わるのはいつも夜中になるみたい」

「へええ」

やはり大変な仕事なんだな、と思った。それなのに年収三百万そこそこなのか。

午後十時を少し過ぎた頃に元子は帰ってきた。光男はリビングルームでテレビを見ていたが、彼女は入ってこず、玄関からすぐに自分の部屋へと向かってしまった。

翌日の昼休み、以前光男に小説のことをレクチャーしてくれた女子社員のところへ行った。彼女は今日も本を読んでいた。

「天川井太郎賞ですか。さあ、知らないですけど」女子社員は、あっさりといった。

「新しくできた賞らしいんだ」

「ああ、なんかそういう話は聞いたことあるかも。賞なんていっぱいありますよ。本屋さんに行ったら、何々賞受賞っていう帯のついた本だらけです」

「そうなのか」つい、声が沈んだ。

「その賞がどうかしたんですか」

「いや、何でもない」

光男が踵《きびす》を返そうとすると、「そういえば」と女子社員がいった。「以前、唐傘ザンゲのことをおっしゃってましたよね」

「……それが何か？」

「この前、読んだんです。あの時は知らなかったんですけど、いろいろなところで話題になってるから」

「えっ、そうなの？」

女子社員は、こくりと頷いた。

「今出てる、『煉瓦街諜報戦術キムコ』って、すごく面白いですよ。私、エンタメはあまり読まないんですけど、あれは満足しました。今度、ほかの作品も読んでみようかなと思ってるんです」

「へえ、そうなんだ。ありがとう、参考になったよ」

自分の席に戻る時、心が少し軽くなっていることに気づいた。元子から只野を紹介されて以来、初めてのことだった。

会社帰りに書店に寄ってみた。『煉瓦街諜報戦術キムコ』は、すぐに見つかった。しかも平積みの棚に置いてあった。やはり話題にはなっているようだ。

電車で座れたので、早速開いてみた。『虚無僧探偵ゾフィー』は数ページで挫折した。今回はどうだろうと不安な思いを抱えて読み始めた。

すぐに、おやと思った。作風というのだろうか、小説の雰囲気が変わっている。読み進めるのが少しも苦痛ではない。いやそれどころか、ページを繰る手が止まらない。

気がつくと没頭していた。もう少しで乗り過ごすところだった。

駅の改札を出て我が家に向かって歩きながら、明日の通勤電車が楽しみだと思った。家では読めない。そんなところを邦子や元子に見られたくなかった。

6

結局光男は『煉瓦街諜報戦術キムコ』を三日で読了した。昼休みと帰りの電車内だけで読んだのだ。朝の通勤ラッシュの中では、単行本は広げられなかった。

読み終えた時、軽い興奮状態に陥った。読書嫌いの自分が一冊の小説を読みきったという達成感があったのはたしかだ。しかしそれ以上に彼の血を騒がせたのが作品の面白さであることは疑いようがなかった。

あの男、こんなものが書けるのか――。

無論、小説に関して自分がずぶの素人《しろうと》であることは自覚している。だが『煉瓦街諜報戦術キムコ』が魅力的な作品だということはわかった。書店員たちのいう通りだ。唐傘ザンゲには才能がある。そしてそれだけではない。自分に厳しく、決して妥協しない強さも持っている。

この日の夜、大原を飲みに誘った。行くのはいつもの居酒屋だ。生ビールを何杯か飲んだ後、「で、どうなった？」と大原が好奇心丸出しの顔で訊いてきた。「娘さんの相手だよ。別れさせたのか」

いやいや、と光男が首を振ると、大原は眉間に皺《しわ》を寄せた。

「あれから何か月になる？　長引かせるとまずいぞ」

「しかしなあ、才能はありそうなんだ」

「才能？　ふん、そんなもの当てになるか。才能があれば必ず成功するというなら、この世はノーベル賞受賞者や金メダリストだらけになる。ゴッホだって、生きている時に売れた絵はたったの一枚だったそうだぞ」

大原はすでに少し酔っているようだが、話す内容は相変わらず手厳しく的確だ。それはそうだよなあ、と同意せずにはいられない。

「一体、どういうものを書いてるんだ、その男。須和、おまえ、読んだことあるのか」

「ああ、じつは今日読み終えた」光男は鞄《かばん》から本を出した。「これが結構面白くてさ」

「ふうん、『煉瓦街諜報戦術キムコ』か。変な題名だな」

「このキムコに深い意味があるんだ」

「へええ」大原は関心がなさそうだ。

その時だった。「おっ、その本、俺も読んだよ」という声が聞こえた。振り返ると、カウンター席で光男と同い年ぐらいの男が見下ろしてきた。

「あっ、そうなんですか」

「うん、面白かったよねえ。今年読んだ中では一番だ」

思わず、ありがとうございます、といいそうになった。

「でも、千八百円は高いよねえ。おたく、それ、本屋で買ったの？」

「そうですけど」

すると男は呆《あき》れたように大口を開けた。

「よく買うね、そんなもの。気が知れないな」

「あなたは買ったんじゃないんですか」

男は手を大きく横に振った。

「買うわけないじゃないか。勿体《もったい》ない。俺はね、読みたい本があれば図書館で借りることにしているんだ」

「図書館……ですか」

「そう。あんたも今後はそうすればいいよ。たかが小説なんかに金をかけるのは馬鹿のすることだ」

「馬鹿？」自分の頬がぴくりと引きつるのがわかった。

「もっとも、人気のある本は順番が回ってくるまでに時間がかかったりするけどね。ひどい時は半年近く待たされることもある。図書館もケチだ。人気のある本は、もっとじゃんじゃん置いてくれりゃいいのに」

「それでも待ってるんですか。早く読みたいとは思わないんですか」

「思うよ、もちろん。そういう時は新古書店だ。どんな新刊本でも、一週間もすりゃあ新古書店に出回る。それを買って、読み終わったら、また新古書店に売る。ただというわけにはいかないが、ずいぶんと安くつく」

「でもそれだと、書き手側には一銭も入りませんね。出版社とか作家には」

「はあ？」相手の男は、惚《ほう》けたような顔をした。「それが何？　そんなこと、こっちの知ったこっちゃないよ」

「だけど、みんながあなたのようなことをしたら、誰も小説では食べていけなくなる」

　男は、ふんと鼻を鳴らした。

「それがどうしたの？　嫌なら小説家になんかならなきゃいいんだ。それに、ちょっとぐらい連中が苦労したって、どうってことないよ。ちょこちょこっと好きなことを書いて、それで金を貰《もら》おうってほうが厚かましいんだ」

「ちょこちょこっと好きなこと？」光男は立ち上がった。「もういっぺんいってみろ」

「何だよ、何か文句あるのか」男が睨《にら》み返してくる。

「小説家がどれだけ苦労しているかも知らんくせに、勝手なことをいうな」

「じゃあ、あんたは知ってるのか」

「おたくよりはわかっている」

「どうわかってるんだ。いってみろよ」

「彼等は心血を注いで、一つの作品を書き上げてるんだ」

「ふん、何だよそれ。どうでもいいよ、関係ないね」男は横を向き、首筋を掻いた。

「馬鹿を相手にしてても仕方ないや」

光男の頭で何かがぷつんと切れた。ジョッキを手にし、男の顔にビールをぶっかけた。

「何をしやがるっ」

男のパンチが飛んできた。

7

光男が警察署を出たのは、十時を過ぎた頃だった。たっぷり油を絞られた後、邦子に迎えに来てもらったのだ。

「いい歳して、何やってるのよ」それが邦子の第一声だった。

すまん、と答えるしかなかった。自分でも、ずいぶんと浅はかなことをしたとは思う。喧嘩《けんか》をしたのなんて何年ぶりだろうと振り返った。人を殴ったのは高校以来で、殴られたのは大学生の時以来だ。指の付け根が痛む。顔面の半分が強張《こわば》っている。明日の朝になったら腫れるだろうな、とぼんやり考えた。

しかし帰りのタクシーで、邦子は責めるようなことは何もいわなかった。顔の傷を心配する言葉をかけてきただけだ。喧嘩の原因が何なのか、警察で話を聞かされたからかもしれない。

自宅に戻ると、すぐに着替えてベッドにもぐりこんだ。元子は、まだ帰っていないようだ。いつもより遅い。

邦子が氷水で絞ったタオルを持ってきてくれたので、横になったまま、殴られたところを冷やした。

それから間もなく、階下で物音が聞こえた。元子が帰ってきたらしい。顔の怪我《けが》を、どうごまかそうかと考えた。明日は顔を合わせる前に家を出ようと思ったが、すぐに明日は土曜日で会社が休みだと気づいた。

待てよ。すると今夜は金曜日だ。何かあったのではなかったか――。

そんなことを考えていると、階段を上がる足音が聞こえてきた。元子が自分の部屋に入るのだろうと思っていたら、突然ドアが開いた。

おっ、と光男は声を漏らしていた。

「お父さん……大丈夫?」入り口に立ち、元子が心配そうな顔で訊いた。

「おう、別にどうってことない」タオルを顔に当てたままで答えた。

「どうってことないようには見えないんだけど」

「大丈夫だ」

「そう? でもびっくりした。お父さんが喧嘩だなんて」

「お母さんから聞いたのか」

「うん」元子は頷いた。「喧嘩の原因も」

「そうか……あっ、そうだ。今日、あれがあったんじゃないのか。天川井太郎賞の発表」

「あったよ」元子は、すっと息を吸い込んだ。「だめだった」

「あっ、そうなのか。それは残念」声に落胆の響きを含ませないよう気をつけていった。

元子はかぶりを振った。

「全然残念じゃない。彼もあたしも、少しもがっかりしてないもん。目標は、もっと高いところにある。今夜だって、残念会なんかしてないよ。次はどんな作品にしようかって、二人で作戦会議をしてたんだ」

光男は頷いた。「そうか」

「じゃあ、おやすみなさい」

「うん。ああ、元子」呼び止めた。振り返った娘に向かって、静かにいった。「がんばれよ。しっかりと彼を支えてやりなさい」

元子は大きく胸を上下させた後、うん、といって出ていった。

光男は天井を見つめ、吐息をついた。もう一度、『虚無僧探偵ゾフィー』に挑戦してみるか、と思った。

熱海圭介の本

炙英社文庫　好評既刊

撃鉄のポエム

高層マンションのペントハウスばかりが狙われる狙撃事件が発生。一匹狼の刑事・郷島巌雄はマフィアに接触し、世界的犯罪組織が裏にいることを突き止める。米軍の基地から戦闘ヘリを盗み出した郷島は、単身で秘密組織に乗り込む。第十二回小説炙英新人賞受賞作。

狼の一人旅

試合中に相手を死なせてしまった元格闘家の剣崎剛は、放浪の旅を続けていた。ある日、手紙の入った瓶を拾う。それはかつての恋人・マリアが書いたものだった。彼女が秘密組織に捕らわれていることを知った剣崎は、単身で秘密組織に乗り込む。

銃弾と薔薇に聞いてくれ ～撃鉄のポエム2

警察庁国家情報局の暗号解析機が盗まれた。犯行に謎の秘密結社が絡んでいると睨んだ一匹狼の元刑事・郷島巌雄は、マフィアの力を借りて私設軍団を結成、秘密結社の要塞への総攻撃を断行する。しかし敵は国会議事堂の下に軍用列車を隠していた。日本の運命は？

唐傘ザンゲの本

集英社文庫　好評既刊

虚無僧探偵ゾフィー

小さな町で殺人事件らしきものが起きる。しかし死体は見つからない。すると翌日から、町に虚無僧が続々とやってくる。彼等が呪文のように唱える「ゾフィー、あざむくことなかれ」の意味とは何か。驚天動地のクライマックスが待つ、第一回集英新人賞受賞作。

煉瓦街諜報戦術キムコ

時代は明治。アメリカから陸軍省に運ばれるはずの新型爆弾が列車強盗によって盗まれた。犯人は元武士のテロリストたち。彼等の狙いが鹿鳴館にあると察知した内務省特務局は、忍者の末裔である一人の男をスパイとして暗躍させる。忍法「キムコ」の正体は？

魔境隠密力士土俵入り

時は明治。日本の異境を旅行中のアメリカ大使の娘が消息を絶った。一方、東京では大麻が流行り始めていた。大使の娘からの最後の手紙から、ある村に目をつけた内務省特務局は、相撲巡業を装い、太ったスパイ数十名を潜入させる。第一三五回直本賞受賞作。

その他の灸英社文庫

- 第一回天川井太郎賞受賞 深海魚の皮膚呼吸　大凡均一
- 殺意の蛸足配線　大凡均一
- まったり殺して　青桃鞭十郎
- こってり殺して　青桃鞭十郎
- 御破算家族　腹黒元蔵
- 納涼茶番劇　腹黒元蔵

- 腰振り爺さん一本釣り　古井蕪子
- ぷりぷり婆さん・痛快厚化粧　古井蕪子
- 第九五回直本賞候補 怪盗泥棒仮面　大川端多門
- 怪人髑髏対探偵骸骨　大川端多門
- 第一三五回直本賞候補 筆の道　寒川心五郎

大好評発売中

本書は文庫オリジナルです。

初出「小説すばる」
伝説の男　二〇一一年三月号
夢の映像化　二〇一一年四月号
序ノ口　二〇一一年五月号
罪な女　二〇一一年五月号
最終候補　二〇一一年六月号
小説誌　二〇一一年七月号
天敵　二〇一一年八月号
文学賞創設　二〇一一年九月号
ミステリ特集　二〇一一年一〇月号
引退発表　二〇〇八年一〇月号
戦略　二〇一一年一一月号
職業、小説家　二〇一一年一一月号
巻末広告　書き下ろし

集英社文庫

歪笑小説《わいしょうしょうせつ》

2012年1月25日　第1刷　　定価はカバーに表示してあります。

著　者　東野圭吾《ひがしのけいご》
発行者　加藤　潤
発行所　株式会社 集英社
東京都千代田区一ツ橋2-5-10　〒101-8050
電話　03-3230-6095（編集）
03-3230-6393（販売）
03-3230-6080（読者係）
印　刷　凸版印刷株式会社
製　本　加藤製本株式会社

フォーマットデザイン　アリヤマデザインストア　　マークデザイン　居山浩二

ISBN978-4-08-746784-0 C0193